Kant | Zum ewigen Frieden

Immanuel Kant
Zum ewigen Frieden

Ein philosophischer Entwurf

Herausgegeben von Rudolf Malter

Reclam

RECLAMS UNIVERSAL-BIBLIOTHEK Nr. 14382
1987, 2022 Philipp Reclam jun. Verlag GmbH
Siemensstraße 32, 71254 Ditzingen
info@reclam.de
Durchgesehene und bibliographisch ergänzte Auflage 2022
Gestaltung: Cornelia Feyll, Friedrich Forssman
Druck und Bindung: Esser printSolutions GmbH,
Untere Sonnenstraße 5, 84030 Ergolding
Printed in Germany 2025
RECLAM, UNIVERSAL-BIBLIOTHEK und
RECLAMS UNIVERSAL-BIBLIOTHEK sind eingetragene Marken
der Philipp Reclam jun. GmbH & Co. KG, Stuttgart
ISBN 978-3-15-014382-7
reclam.de

Zum ewigen Frieden

Ob diese satirische Überschrift auf dem Schilde jenes holländischen Gastwirts, worauf ein Kirchhof gemalt war, die *Menschen* überhaupt, oder besonders die Staatsoberhäupter, die des Krieges nie satt werden können, oder wohl gar nur die Philosophen gelte, die jenen süßen Traum träumen, mag dahingestellt sein. Das bedingt sich aber der Verfasser des Gegenwärtigen aus, daß, da der praktische Politiker mit dem theoretischen auf dem Fuß steht, mit großer Selbstgefälligkeit auf ihn als einen Schulweisen herabzusehen, der dem Staat, welcher von Erfahrungsgrundsätzen ausgehen müsse, mit seinen sachleeren Ideen keine Gefahr bringe, und den man immer seine eilf Kegel auf einmal werfen lassen kann, ohne daß sich der *weltkundige* Staatsmann daran kehren darf, dieser auch im Fall eines Streits mit jenem sofern konsequent verfahren müsse, hinter seinen auf gut Glück gewagten und öffentlich geäußerten Meinungen nicht Gefahr für den Staat zu wittern; – durch welche *Clausula salvatoria* der Verfasser dieses sich dann hiemit in der besten Form wider alle bösliche Auslegung ausdrücklich verwahrt wissen will.

Erster Abschnitt

welcher die Präliminarartikel zum ewigen Frieden unter Staaten enthält

1. »Es soll kein Friedensschluß für einen solchen gelten, der mit dem geheimen Vorbehalt des Stoffs zu einem künftigen Kriege gemacht worden.«

Denn alsdann wäre er ja ein bloßer Waffenstillstand, Aufschub der Feindseligkeiten, nicht F r i e d e , der das Ende aller Hostilitäten bedeutet, und dem das Beiwort e w i g anzuhängen ein schon verdächtiger Pleonasm ist. Die vorhandene, obgleich jetzt vielleicht den Paziszirenden selbst noch nicht bekannte, Ursachen zum künftigen Kriege sind durch den Friedensschluß insgesamt vernichtet, sie mögen auch aus archivarischen Dokumenten mit noch so scharfsichtiger Ausspähungsgeschicklichkeit ausgeklaubt sein. – Der Vorbehalt (*reservatio mentalis*) alter allererst künftig auszudenkender Prätensionen, deren kein Teil für jetzt Erwähnung tun mag, weil beide zu sehr erschöpft sind, den Krieg fortzusetzen, bei dem bösen Willen, die erste günstige Gelegenheit zu diesem Zweck zu benutzen, gehört zur Jesuitenkasuistik und ist unter der Würde der Regenten, so wie die Willfährigkeit zu dergleichen Deduktionen unter der Würde eines Ministers desselben, wenn man die Sache, wie sie an sich selbst ist, beurteilt. –

Wenn aber, nach aufgeklärten Begriffen der Staatsklugheit, in beständiger Vergrößerung der Macht, durch welche Mittel es auch sei, die wahre Ehre des Staats gesetzt wird, so fällt freilich jenes Urteil als schulmäßig und pedantisch in die Augen.

2. »Es soll kein für sich bestehender Staat (klein oder groß, das gilt hier gleichviel) von einem andern Staate durch Erbung, Tausch, Kauf oder Schenkung erworben werden können.«

Ein Staat ist nämlich nicht (wie etwa der Boden, auf dem er seinen Sitz hat) eine Habe (*patrimonium*). Er ist eine Gesellschaft von Menschen, über die niemand anders, als er selbst zu gebieten und zu disponieren hat. Ihn aber, der selbst als Stamm seine eigene Wurzel hatte, als Pfropfreis einem andern Staate einzuverleiben, heißt seine Existenz als einer moralischen Person aufheben und aus der letzteren eine Sache machen und widerspricht also der Idee des ursprünglichen Vertrags, ohne die sich kein Recht über ein Volk denken läßt.* In welche Gefahr das Vorurteil dieser Erwerbungsart Europa, denn die andern Weltteile haben nie davon gewußt, in unsern bis auf die neuesten Zeiten gebracht habe, daß sich nämlich auch Staaten einander heuraten könnten, ist jedermann bekannt, teils als eine neue Art von Industrie, sich auch ohne Aufwand von Kräften durch Familienbündnisse übermächtig zu machen, teils auch auf solche Art den Länderbesitz zu erweitern. – Auch die Verdingung der Truppen eines Staats an einen andern gegen einen nicht gemeinschaftlichen Feind ist dahin zu zählen; denn die Untertanen werden dabei als nach Belieben zu handhabende Sachen gebraucht und verbraucht.

3. »Stehende Heere (*miles perpetuus*) sollen mit der Zeit ganz aufhören.«

Denn sie bedrohen andere Staaten unaufhörlich mit Krieg durch die Bereitschaft, immer dazu gerüstet zu erscheinen; reizen diese an, sich einander in Menge der Gerüsteten, die keine Grenzen kennt, zu übertreffen, und indem durch die

* Ein Erbreich ist nicht ein Staat, der von einem andern Staate, sondern dessen Recht zu regieren an eine andere physische Person vererbt werden kann. Der Staat erwirbt alsdann einen Regenten, nicht dieser als ein solcher (d. i. der schon ein anderes Reich besitzt) den Staat.

darauf verwandten Kosten der Friede endlich noch drückender wird als ein kurzer Krieg, so sind sie selbst Ursache von Angriffskriegen, um diese Last loszuwerden; wozu kommt, daß, zum Töten oder getötet zu werden in Sold genommen zu sein, einen Gebrauch von Menschen als bloßen Maschinen und Werkzeugen in der Hand eines andern (des Staats) zu enthalten scheint, der sich nicht wohl mit dem Rechte der Menschheit in unserer eigenen Person vereinigen läßt. Ganz anders ist es mit der freiwilligen periodisch vorgenommenen Übung der Staatsbürger in Waffen bewandt, sich und ihr Vaterland dadurch gegen Angriffe von außen zu sichern. – Mit der Anhäufung eines Schatzes würde es ebenso gehen, daß er, von andern Staaten als Bedrohung mit Krieg angesehen, zu zuvorkommenden Angriffen nötigte (weil unter den drei Mächten, der *Heeresmacht*, der *Bundesmacht* und der *Geldmacht*, die letztere wohl das zuverlässigste Kriegswerkzeug sein dürfte), wenn nicht die Schwierigkeit, die Größe desselben zu erforschen, dem entgegenstände.

4. »Es sollen keine Staatsschulden in Beziehung auf äußere Staatshändel gemacht werden.«

Zum Behuf der Landesökonomie (der Wegebesserung, neuer Ansiedelungen, Anschaffung der Magazine für besorgliche Mißwachsjahre u. s. w.) außerhalb oder innerhalb dem Staate Hülfe zu suchen, ist diese Hülfsquelle unverdächtig. Aber als entgegenwirkende Maschine der Mächte gegeneinander ist ein Kreditsystem ins Unabsehliche anwachsender und doch immer für die gegenwärtige Forderung (weil sie doch nicht von allen Gläubigern auf einmal geschehen wird) gesicherter Schulden – die sinnreiche Erfindung eines handeltreibenden Volks in diesem Jahrhundert – eine gefährliche Geldmacht, nämlich ein Schatz zum Kriegführen, der die Schätze aller andern Staaten zusammengenommen übertrifft und nur durch den einmal bevorstehenden Ausfall der Taxen (der doch auch durch die Belebung des Verkehrs vermittelst der Rückwirkung auf Industrie und Erwerb noch lange hingehalten wird) erschöpft werden kann. Diese Leichtigkeit, Krieg zu führen, mit der Neigung der Machthabenden dazu, welche der menschlichen Natur eingeartet zu sein scheint, verbunden, ist also ein großes Hindernis des ewigen Friedens, welches zu verbieten um desto mehr ein Präliminarartikel desselben sein müßte, weil der endlich doch unvermeidliche Staatsbankerott manche andere Staaten unverschuldet in den Schaden mit verwickeln muß, welches eine öffentliche Läsion der letzteren sein würde. Mithin sind wenigstens andere Staaten berechtigt, sich gegen einen solchen und dessen Anmaßungen zu verbünden.

5. »Kein Staat soll sich in die Verfassung und Regierung eines andern Staats gewalttätig einmischen.«

Denn was kann ihn dazu berechtigen? Etwa das Skandal, was er den Untertanen eines andern Staats gibt? Es kann dieser vielmehr durch das Beispiel der großen Übel, die sich ein Volk durch seine Gesetzlosigkeit zugezogen hat, zur Warnung dienen; und überhaupt ist das böse Beispiel, was eine freie Person der andern gibt, (als *scandalum acceptum*) keine Läsion derselben. – Dahin würde zwar nicht zu ziehen sein, wenn ein Staat sich durch innere Veruneinigung in zwei Teile spaltete, deren jeder für sich einen besondern

Staat vorstellt, der auf das Ganze Anspruch macht; wo einem derselben Beistand zu leisten einem äußern Staat nicht für Einmischung in die Verfassung des andern (denn es ist alsdann Anarchie) angerechnet werden könnte. Solange aber dieser innere Streit noch nicht entschieden ist, würde diese Einmischung äußerer Mächte Verletzung der Rechte eines nur mit seiner innern Krankheit ringenden, von keinem andern abhängigen Volks, selbst also ein gegebenes Skandal sein und die Autonomie aller Staaten unsicher machen.

6. »Es soll sich kein Staat im Kriege mit einem andern solche Feindseligkeiten erlauben, welche das wechselseitige Zutrauen im künftigen Frieden unmöglich machen müssen: als da sind Anstellung der Meuchelmörder (*percussores*), Giftmischer (*venefici*), Brechung der Kapitulation, Anstiftung des Verrats (*perduellio*) in dem bekriegten Staat etc.«

Das sind ehrlose Stratagemen. Denn irgend ein Vertrauen auf die Denkungsart des Feindes muß mitten im Kriege noch übrig bleiben, weil sonst auch kein Friede abgeschlossen werden könnte, und die Feindseligkeit in einen Ausrottungskrieg (*bellum internecinum*) ausschlagen würde; da der Krieg doch nur das traurige Notmittel im Naturzustande ist (wo kein Gerichtshof vorhanden ist, der rechtskräftig urteilen könnte), durch Gewalt sein Recht zu behaupten; wo keiner von beiden Teilen für einen ungerechten Feind erklärt werden kann (weil das schon einen Richterausspruch voraussetzt), sondern der Ausschlag desselben (gleich als vor einem sogenannten Gottesgerichte) entscheidet, auf wessen Seite das Recht ist; zwischen Staaten aber sich kein

Bestrafungskrieg (*bellum punitivum*) denken läßt (weil zwischen ihnen kein Verhältnis eines Obern zu einem Untergebenen stattfindet). – Woraus denn folgt: daß ein Ausrottungskrieg, wo die Vertilgung beide Teile zugleich und mit dieser auch alles Rechts treffen kann, den ewigen Frieden nur auf dem großen Kirchhofe der Menschengattung stattfinden lassen würde. Ein solcher Krieg also, mithin auch der Gebrauch der Mittel, die dahin führen, muß schlechterdings unerlaubt sein. – Daß aber die genannte Mittel unvermeidlich dahin führen, erhellt daraus: daß jene höllische Künste, da sie an sich selbst niederträchtig sind, wenn sie in Gebrauch gekommen, sich nicht lange innerhalb der Grenze des Krieges halten, wie etwa der Gebrauch der Spione (*uti exploratoribus*), wo nur die Ehrlosigkeit anderer (die nun einmal nicht ausgerottet werden kann) benutzt wird, sondern auch in den Friedenszustand übergehen und so die Absicht desselben gänzlich vernichten würden.

* * *

Obgleich die angeführte Gesetze objektiv, d. i. in der Intention der Machthabenden, lauter Verbotgesetze (*leges prohibitivae*) sind, so sind doch einige derselben von der strengen, ohne Unterschied der Umstände geltenden Art (*leges strictae*), die sofort auf Abschaffung dringen (wie Nr. 1, 5, 6), andere aber (wie Nr. 2, 3, 4), die zwar nicht als Ausnahmen von der Rechtsregel, aber doch in Rücksicht auf die Ausübung derselben, durch die Umstände, subjektiv für die Befugnis erweiternd (*leges latae*), und Erlaubnisse enthalten, die Vollführung aufzuschieben, ohne doch den Zweck aus den Augen zu verlieren, der diesen Aufschub, z. B. der Wiedererstattung der gewissen Staaten nach Nr. 2 entzogenen Freiheit, nicht auf den Nimmertag (wie August[us] zu versprechen pflegte, *ad calendas graecas*) auszusetzen, mithin die Nichterstattung, sondern nur, damit sie nicht übereilt und so der Absicht selbst zuwider geschehe, die Verzögerung erlaubt. Denn das Verbot betrifft hier nur die Erwerbungsart, die fernerhin nicht gelten soll, aber nicht den Besitzstand, der, ob er zwar nicht den erforderlichen Rechtstitel hat, doch zu seiner Zeit (der putativen Erwerbung) nach der damaligen öffentlichen Meinung von allen Staaten für rechtmäßig gehalten wurde.*

* Ob es außer dem Gebot (*leges praeceptivae*) und Verbot (*leges prohibitivae*) noch Erlaubnisgesetze (*leges permissivae*) der reinen Vernunft geben könne, ist bisher nicht ohne Grund bezweifelt worden. Denn Gesetze überhaupt enthalten einen Grund objektiver praktischer Notwendigkeit, Erlaubnis aber einen der praktischen Zufälligkeit gewisser Handlungen; mithin würde ein Erlaubnisgesetz Nötigung zu einer Handlung, zu dem, wozu jemand nicht genötigt werden kann, enthalten, welches, wenn das Objekt des Gesetzes in beiderlei Beziehung einerlei Bedeutung hätte, ein Widerspruch sein würde. – Nun geht aber hier im Erlaubnisgesetze das vorausgesetzte Verbot nur auf die künftige Erwerbungsart eines Rechts (z. B. durch Erbschaft), die Befreiung aber von diesem Verbot, d. i. die Erlaubnis, auf den gegenwärtigen Besitzstand, welcher letztere im Überschritt aus dem Naturzustande in den bürgerlichen als ein, obwohl unrechtmäßiger, dennoch ehrlicher Besitz (*possessio putativa*) nach einem Erlaubnisgesetz des Naturrechts noch fernerhin fortdauern kann, obgleich ein putativer Besitz, sobald er als ein solcher erkannt worden, im Naturzustande, imgleichen eine ähnliche Erwerbungsart im nachmaligen bürgerlichen (nach geschehenem Überschritt) verboten ist, welche Befugnis des fortdaurenden Besitzes nicht stattfinden wür-

Zweiter Abschnitt

welcher die Definitivartikel zum ewigen Frieden unter Staaten enthält

Der Friedenszustand unter Menschen, die nebeneinander leben, ist kein Naturstand (*status naturalis*), der vielmehr

de, wenn eine solche vermeintliche Erwerbung im bürgerlichen Zustande geschehen wäre; denn da würde er, als Läsion, sofort nach Entdeckung seiner Unrechtmäßigkeit aufhören müssen. Ich habe hiemit nur beiläufig die Lehrer des Naturrechts auf den Begriff einer lex permissiva, welcher sich einer systematisch-einteilenden Vernunft von selbst darbietet, aufmerksam machen wollen; vornehmlich da im Zivilgesetze (statutarischen) öfters davon Gebrauch gemacht wird, nur mit dem Unterschiede, daß das Verbotgesetz für sich allein dasteht, die Erlaubnis aber nicht als einschränkende Bedingung (wie es sollte) in jenes Gesetz mit hineingebracht, sondern unter die Ausnahmen geworfen wird. – Da heißt es dann: dies oder jenes wird verboten: es sei denn Nr. 1, Nr. 2, Nr. 3 und so weiter ins Unabsehliche, da Erlaubnisse nur zufälligerweise, nicht nach einem Prinzip, sondern durch Herumtappen unter vorkommenden Fällen, zum Gesetz hinzukommen; denn sonst hätten die Bedingungen in die Formel des Verbotsgesetzes mit hineingebracht werden müssen, wodurch es dann zugleich ein Erlaubnisgesetz geworden wäre. – Es ist daher zu bedauern, daß die sinnreiche, aber unaufgelöst gebliebene Preisaufgabe des ebenso weisen als scharfsinnigen Herrn Grafen von Windischgrätz, welche gerade auf das letztere drang, so bald verlassen worden. Denn die Möglichkeit einer solchen (der mathematischen ähnlichen) Formel ist der einzige echte Probierstein einer konsequent bleibenden Gesetzgebung, ohne welche das sogenannte *ius certum* immer ein frommer Wunsch bleiben wird. – Sonst wird man bloß generale Gesetze (die im allgemeinen gelten), aber keine universale (die allgemein gelten) haben, wie es doch der Begriff eines Gesetzes zu erfordern scheint.

ein Zustand des Krieges ist, d. i. wenngleich nicht immer ein Ausbruch der Feindseligkeiten, doch immerwährende Bedrohung mit denselben. Er muß also gestiftet werden; denn die Unterlassung der letzteren ist noch nicht Sicherheit dafür, und ohne daß sie einem Nachbar von dem andern geleistet wird (welches aber nur in einem gesetzlichen Zustande geschehen kann), kann jener diesen, welchen er dazu aufgefordert hat, als einen Feind behandeln.*

* Gemeiniglich nimmt man an, daß man gegen niemand feindlich verfahren dürfe, als nur wenn er mich schon tätig lädiert hat, und das ist auch ganz richtig, wenn beide im bürgerlich-gesetzlichen Zustande sind. Denn dadurch, daß dieser in denselben getreten ist, leistet er jenem (vermittelst der Obrigkeit, welche über beide Gewalt hat) die erforderliche Sicherheit. – Der Mensch aber (oder das Volk) im bloßen Naturstande benimmt mir diese Sicherheit und lädiert mich schon durch eben diesen Zustand, indem er neben mir ist, obgleich nicht tätig (*facto*), doch durch die Gesetzlosigkeit seines Zustandes (*statu iniusto*), wodurch ich beständig von ihm bedroht werde, und ich kann ihn nötigen, entweder mit mir in einen gemeinschaftlich-gesetzlichen Zustand zu treten, oder aus meiner Nachbarschaft zu weichen. – Das Postulat also, was allen folgenden Artikeln zum Grunde liegt, ist: Alle Menschen, die aufeinander wechselseitig einfließen können, müssen zu irgend einer bürgerlichen Verfassung gehören.

Alle rechtliche Verfassung aber ist, was die Personen betrifft, die darin stehen,

1) die nach dem Staatsbürgerrecht der Menschen in einem Volke (*ius civitatis*),

2) nach dem Völkerrecht der Staaten in Verhältnis gegeneinander (*ius gentium*),

3) die nach dem Weltbürgerrecht, sofern Menschen und Staaten, in äußerem aufeinander einfließendem Verhältnis stehend, als Bürger eines allgemeinen Menschenstaats anzusehen sind (*ius cosmopoliticum*). Diese Einteilung ist nicht willkürlich, sondern not-

Erster Definitivartikel zum ewigen Frieden

Die bürgerliche Verfassung in jedem Staate soll republikanisch sein.

Die erstlich nach Prinzipien der Freiheit der Glieder einer Gesellschaft (als Menschen), zweitens nach Grundsätzen der Abhängigkeit aller von einer einzigen gemeinsamen Gesetzgebung (als Untertanen) und drittens die nach dem Gesetz der Gleichheit derselben (als Staatsbürger) gestiftete Verfassung – die einzige, welche aus der Idee des ursprünglichen Vertrags hervorgeht, auf der alle rechtliche Gesetzgebung eines Volks gegründet sein muß – ist die republikanische.* Diese ist also, was das Recht

wendig in Beziehung auf die Idee vom ewigen Frieden. Denn wenn nur einer von diesen im Verhältnisse des physischen Einflusses auf den andern und doch im Naturstande wäre, so würde damit der Zustand des Krieges verbunden sein, von dem befreit zu werden hier eben die Absicht ist.

* Rechtliche (mithin äußere) Freiheit kann nicht, wie man wohl zu tun pflegt, durch die Befugnis definiert werden: alles zu tun, was man will, wenn man nur keinem Unrecht tut. Denn was heißt Befugnis? Die Möglichkeit einer Handlung, sofern man dadurch keinem Unrecht tut. Also würde die Erklärung so lauten: Freiheit ist die Möglichkeit der Handlungen, dadurch man keinem Unrecht tut. Man tut keinem Unrecht (man mag auch tun, was man will), wenn man nur keinem Unrecht tut: folglich ist es leere Tautologie. – Vielmehr ist meine äußere (rechtliche) Freiheit so zu erklären: sie ist die Befugnis, keinen äußeren Gesetzen zu gehorchen, als zu denen ich meine Beistimmung habe geben können. – Ebenso ist äußere (rechtliche) Gleichheit in einem Staate dasjenige Verhältnis der Staatsbürger, nach welchem keiner den andern wozu rechtlich verbinden kann, ohne daß er sich zugleich dem Gesetz unterwirft, von diesem wechselseitig auf dieselbe Art auch verbunden werden zu können. (Vom Prinzip der rechtlichen Abhängigkeit, da

betrifft, an sich selbst diejenige, welche allen Arten der bürgerlichen Konstitution ursprünglich zum Grunde liegt;

dieses schon in dem Begriffe einer Staatsverfassung überhaupt liegt, bedarf es keiner Erklärung.) – Die Gültigkeit dieser angebornen, zur Menschheit notwendig gehörenden und unveräußerlichen Rechte wird durch das Prinzip der rechtlichen Verhältnisse des Menschen selbst zu höheren Wesen (wenn er sich solche denkt) bestätigt und erhoben, indem er sich nach eben denselben Grundsätzen auch als Staatsbürger einer übersinnlichen Welt vorstellt. – Denn was meine Freiheit betrifft, so habe ich selbst in Ansehung der göttlichen, von mir durch bloße Vernunft erkennbaren Gesetze keine Verbindlichkeit, als nur sofern ich dazu selber habe meine Beistimmung geben können (denn durchs Freiheitsgesetz meiner eigenen Vernunft mache ich mir allererst einen Begriff vom göttlichen Willen). Was in Ansehung des erhabensten Weltwesens außer Gott, welches ich mir etwa denken möchte (einen großen *Äon*), das Prinzip der Gleichheit betrifft, so ist kein Grund da, warum ich, wenn ich in meinem Posten meine Pflicht tue, wie jener Äon es in dem seinigen, mir bloß die Pflicht zu gehorchen, jenem aber das Recht zu befehlen zukommen solle. – Daß dieses Prinzip der *Gleichheit* nicht (so wie das der Freiheit) auch auf das Verhältnis zu Gott paßt, davon ist der Grund dieser, weil dieses Wesen das einzige ist, bei dem der Pflichtbegriff aufhört.
Was aber das Recht der Gleichheit aller Staatsbürger als Untertanen betrifft, so kommt es in Beantwortung der Frage von der Zulässigkeit des *Erbadels* allein darauf an: ob der vom Staat zugestandene *Rang* (eines Untertans vor dem andern) vor dem *Verdienst*, oder dieses vor jenem vorhergehen müsse. – Nun ist offenbar: daß, wenn der Rang mit der Geburt verbunden wird, es ganz ungewiß ist, ob das Verdienst (Amtsgeschicklichkeit und Amtstreue) auch folgen werde; mithin ist es ebenso viel, als ob er ohne alles Verdienst dem Begünstigten zugestanden würde (Befehlshaber zu sein); welches der allgemeine Volkswille in einem ursprünglichen Vertrage (der doch das Prinzip aller Rechte ist) nie beschließen

und nun ist nur die Frage: ob sie auch die einzige ist, die zum ewigen Frieden hinführen kann.

Nun hat aber die republikanische Verfassung außer der Lauterkeit ihres Ursprungs, aus dem reinen Quell des Rechtsbegriffs entsprungen zu sein, noch die Aussicht in die gewünschte Folge, nämlich den ewigen Frieden; wovon der Grund dieser ist. – Wenn (wie es in dieser Verfassung nicht anders sein kann) die Beistimmung der Staatsbürger dazu erfordert wird, um zu beschließen, ob Krieg sein solle, oder nicht, so ist nichts natürlicher, als daß, da sie alle Drangsale des Krieges über sich selbst beschließen müßten (als da sind: selbst zu fechten, die Kosten des Krieges aus ihrer eigenen Habe herzugeben; die Verwüstung, die er hinter sich läßt, kümmerlich zu verbessern; zum Übermaße des Übels endlich noch eine den Frieden selbst verbitternde, nie (wegen naher, immer neuer Kriege) zu tilgende Schuldenlast selbst zu übernehmen), sie sich sehr bedenken werden, ein so schlimmes Spiel anzufangen: dahingegen in einer Verfassung, wo der Untertan nicht Staatsbürger, die also nicht republikanisch ist, es die unbedenklichste Sache von der Welt ist, weil das Oberhaupt nicht Staatsgenosse, sondern Staatseigentümer ist, an seinen Tafeln, Jagden, Lustschlössern, Hoffesten u. dgl. durch den Krieg nicht das mindeste einbüßt, diesen also wie eine Art von Lustpartie aus

wird. Denn ein Edelmann ist darum nicht sofort ein *edler* Mann. – Was den *Amtsadel* (wie man den Rang einer höheren Magistratur nennen könnte, und den man sich durch Verdienste erwerben muß) betrifft, so klebt der Rang da nicht als Eigentum an der Person, sondern am Posten, und die Gleichheit wird dadurch nicht verletzt: weil, wenn jene ihr Amt niederlegt, sie zugleich den Rang ablegt und unter das Volk zurücktritt. –

unbedeutenden Ursachen beschließen und der Anständigkeit wegen dem dazu allezeit fertigen diplomatischen Korps die Rechtfertigung desselben gleichgültig überlassen kann.

* * *

Damit man die republikanische Verfassung nicht (wie gemeiniglich geschieht) mit der demokratischen verwechsele, muß folgendes bemerkt werden. Die Formen eines Staats (*civitas*) können entweder nach dem Unterschiede der Personen, welche die oberste Staatsgewalt innehaben, oder nach der Regierungsart des Volks durch sein Oberhaupt, er mag sein, welcher er wolle, eingeteilt werden; die erste heißt eigentlich die Form der Beherrschung (*forma imperii*), und es sind nur drei derselben möglich, wo nämlich entweder nur einer, oder einige unter sich verbunden, oder alle zusammen, welche die bürgerliche Gesellschaft ausmachen, die Herrschergewalt besitzen (Autokratie, Aristokratie und Demokratie, Fürstengewalt, Adelsgewalt und Volksgewalt). Die zweite ist die Form der Regierung (*forma regiminis*) und betrifft die auf die Konstitution (den Akt des allgemeinen Willens, wodurch die Menge ein Volk wird) gegründete Art, wie der Staat von seiner Machtvollkommenheit Gebrauch macht: und ist in dieser Beziehung entweder republikanisch oder despotisch. Der Republikanism ist das Staatsprinzip der Absonderung der ausführenden Gewalt (der Regierung) von der gesetzgebenden; der Despotism ist das der eigenmächtigen Vollziehung des Staats von Gesetzen, die er selbst gegeben hat, mithin der öffentliche Wille, sofern er von dem Regenten als sein Privatwille gehandhabt wird. – Unter den drei Staatsformen ist die der Demokratie im eigentlichen Verstande des Worts notwendig ein Despotism, weil sie eine exekutive Gewalt gründet, da alle über und allenfalls auch wider einen (der also nicht mit einstimmt), mithin alle, die doch nicht alle sind, beschließen; welches ein Widerspruch des allgemeinen Willens mit sich selbst und mit der Freiheit ist.

Alle Regierungsform nämlich, die nicht repräsentativ ist, ist eigentlich eine Unform, weil der Gesetzgeber in einer und derselben Person zugleich Vollstrecker seines Willens (so wenig wie das Allgemeine des Obersatzes in einem Vernunftschlusse zugleich die Subsumtion des Besondern unter jenem im Untersatze) sein kann; und wenngleich die zwei andern Staatsverfassungen sofern immer fehlerhaft sind, daß sie einer solchen Regierungsart Raum geben, so ist es bei ihnen doch wenigstens möglich, daß sie eine dem Geiste eines repräsentativen Systems gemäße Regierungsart annähmen, wie etwa Friedrich II. wenigstens sagte: er sei bloß der oberste Diener des Staats,* dahingegen die demokratische es unmöglich macht, weil alles

* Man hat die hohe Benennungen, die einem Beherrscher oft beigelegt werden (die eines göttlichen Gesalbten, eines Verwesers des göttlichen Willens auf Erden und Stellvertreters desselben), als grobe, schwindlig machende Schmeicheleien oft getadelt; aber mich dünkt, ohne Grund. – Weit gefehlt, daß sie den Landesherrn sollten hochmütig machen, so müssen sie ihn vielmehr in seiner Seele demütigen, wenn er Verstand hat (welches man doch voraussetzen muß) und es bedenkt, daß er ein Amt übernommen habe, was für einen Menschen zu groß ist, nämlich das Heiligste, was Gott auf Erden hat, das Recht der Menschen, zu verwalten, und diesem Augapfel Gottes irgend worin zu nahe getreten zu sein jederzeit in Besorgnis stehen muß.

da Herr sein will. – Man kann daher sagen: je kleiner das Personale der Staatsgewalt (die Zahl der Herrscher), je größer dagegen die Repräsentation derselben, desto mehr stimmt die Staatsverfassung zur Möglichkeit des Republikanism, und sie kann hoffen, durch allmähliche Reformen sich dazu endlich zu erheben. Aus diesem Grunde ist es in der Aristokratie schon schwerer als in der Monarchie, in der Demokratie aber unmöglich, anders, als durch gewaltsame Revolution zu dieser einzigen vollkommen rechtlichen Verfassung zu gelangen. Es ist aber an der Regierungsart* dem Volk ohne alle Vergleichung mehr gelegen, als an der Staatsform (wiewohl auch auf dieser ihre mehrere oder mindere Angemessenheit zu jenem Zwecke sehr viel ankommt). Zu jener aber, wenn sie dem Rechtsbegriffe gemäß sein soll, gehört das repräsentative System, in welchem allein eine republikanische Regierungsart möglich, ohne welches sie (die

* Mallet du Pan rühmt in seiner genietönenden, aber hohlen und sachleeren Sprache: nach vieljähriger Erfahrung endlich zur Überzeugung von der Wahrheit des bekannten Spruchs des Pope gelangt zu sein: »Laß über die beste Regierung Narren streiten; die bestgeführte ist die beste.« Wenn das soviel sagen soll: die am besten geführte Regierung ist am besten geführt, so hat er nach Schwifts Ausdruck eine Nuß aufgebissen, die ihn mit einer Made belohnte; soll es aber bedeuten, sie sei auch die beste Regierungsart, d. i. Staatsverfassung, so ist es grundfalsch; denn Exempel von guten Regierungen beweisen nichts für die Regierungsart. – Wer hat wohl besser regiert als ein Titus und Marcus Aurelius, und doch hinterließ der eine einen Domitian, der andere einen Commodus zu Nachfolgern; welches bei einer guten Staatsverfassung nicht hätte geschehen können, da ihre Untauglichkeit zu diesem Posten früh genug bekannt war, und die Macht des Beherrschers auch hinreichend war, um sie auszuschließen.

Verfassung mag sein, welche sie wolle) despotisch und gewalttätig ist. – Keine der alten sogenannten Republiken hat dieses gekannt, und sie mußten sich darüber auch schlechterdings in dem Despotism auflösen, der unter der Obergewalt eines einzigen noch der erträglichste unter allen ist.

Zweiter Definitivartikel zum ewigen Frieden

Das Völkerrecht soll auf einen *Föderalism* freier Staaten gegründet sein.

Völker als Staaten können wie einzelne Menschen beurteilt werden, die sich in ihrem Naturzustande (d. i. in der Unabhängigkeit von äußern Gesetzen) schon durch ihr Nebeneinandersein lädieren, und deren jeder um seiner Sicherheit willen von dem andern fordern kann und soll, mit ihm in eine der bürgerlichen ähnliche Verfassung zu treten, wo jedem sein Recht gesichert werden kann. Dies wäre ein *Völkerbund*, der aber gleichwohl kein Völkerstaat sein müßte. Darin aber wäre ein Widerspruch: weil ein jeder Staat das Verhältnis eines *Oberen* (Gesetzgebenden) zu einem *Unteren* (Gehorchenden, nämlich dem Volk) enthält, viele Völker aber in einem Staate nur ein Volk ausmachen würden, welches (da wir hier das Recht der *Völker* gegeneinander zu erwägen haben, sofern sie so viel verschiedene Staaten ausmachen und nicht in einem Staat zusammenschmelzen sollen) der Voraussetzung widerspricht.

Gleichwie wir nun die Anhänglichkeit der Wilden an ihre gesetzlose Freiheit, sich lieber unaufhörlich zu balgen, als sich einem gesetzlichen, von ihnen selbst zu konstituierenden Zwange zu unterwerfen, mithin die tolle Freiheit der vernünftigen vorzuziehen, mit tiefer Verachtung ansehen und als Rohigkeit, Ungeschliffenheit und viehische Abwürdigung der Menschheit betrachten, so, sollte man denken, müßten gesittete Völker (jedes für sich zu einem Staat vereinigt) eilen, aus einem so verworfenen Zustande je eher desto lieber herauszukommen: statt dessen aber setzt vielmehr jeder *Staat* seine Majestät (denn Volksmajestät ist ein ungereimter Ausdruck) gerade darin, gar keinem äußeren gesetzlichen Zwange unterworfen zu sein, und der Glanz seines Oberhaupts besteht darin, daß ihm, ohne daß er sich eben selbst in Gefahr setzen darf, viele Tausende zu Gebot stehen, sich für eine Sache, die sie nichts angeht, aufopfern zu lassen,* und der Unterschied der europäischen Wilden von den amerikanischen besteht hauptsächlich darin, daß, da manche Stämme der letzteren von ihren Feinden gänzlich sind gegessen worden, die ersteren ihre Überwundene besser zu benutzen wissen, als sie zu verspeisen, und lieber die Zahl ihrer Untertanen, mithin auch die Menge der Werkzeuge zu noch ausgebreitetern Kriegen durch sie zu vermehren wissen.

Bei der Bösartigkeit der menschlichen Natur, die sich im freien Verhältnis der Völker unverhohlen blicken läßt (indessen daß sie im bürgerlich-gesetzlichen Zustande durch den Zwang der Regierung sich sehr verschleiert), ist es doch zu verwundern, daß das Wort *Recht* aus der Kriegspolitik noch nicht als pedantisch ganz hat verwiesen werden kön-

* So gab ein bulgarischer Fürst dem griechischen Kaiser, der gutmütigerweise seinen Streit mit ihm durch einen Zweikampf ausmachen wollte, zur Antwort: »Ein Schmied, der Zangen hat, wird das glühende Eisen aus den Kohlen nicht mit seinen Händen herauslangen.«

nen, und sich noch kein Staat erkühnt hat, sich für die letztere Meinung öffentlich zu erklären; denn noch werden Hugo Grotius, Pufendorf, Vattel u.a.m. (lauter leidige Tröster), obgleich ihr Kodex, philosophisch oder diplomatisch abgefaßt, nicht die mindeste gesetzliche Kraft hat, oder auch nur haben kann (weil Staaten als solche nicht unter einem gemeinschaftlichen äußeren Zwange stehen), immer treuherzig zur Rechtfertigung eines Kriegsangriffs angeführt, ohne daß es ein Beispiel gibt, daß jemals ein Staat durch mit Zeugnissen so wichtiger Männer bewaffnete Argumente wäre bewogen worden, von seinem Vorhaben abzustehen. – Diese Huldigung, die jeder Staat dem Rechtsbegriffe (wenigstens den Worten nach) leistet, beweist doch, daß eine noch größere, obzwar zur Zeit schlummernde, moralische Anlage im Menschen anzutreffen sei, über das böse Prinzip in ihm (was er nicht ableugnen kann) doch einmal Meister zu werden und dies auch von andern zu hoffen; denn sonst würde das Wort Recht den Staaten, die sich einander befehden wollen, nie in den Mund kommen, es sei denn, bloß um seinen Spott damit zu treiben, wie jener gallische Fürst es erklärte: »Es ist der Vorzug, den die Natur dem Stärkern über den Schwächern gegeben hat, daß dieser ihm gehorchen soll.«

Da die Art, wie Staaten ihr Recht verfolgen, nie wie bei einem äußern Gerichtshofe der Prozeß, sondern nur der Krieg sein kann, durch diesen aber und seinen günstigen Ausschlag, den Sieg, das Recht nicht entschieden wird, und durch den Friedensvertrag zwar wohl dem diesmaligen Kriege, aber nicht dem Kriegszustande (immer zu einem neuen Vorwand zu finden) ein Ende gemacht wird (den man auch nicht geradezu für ungerecht erklären kann, weil in diesem Zustande jeder in seiner eigenen Sache Richter ist), gleichwohl aber von Staaten nach dem Völkerrecht nicht eben das gelten kann, was von Menschen im gesetzlosen Zustande nach dem Naturrecht gilt, »aus diesem Zustande herausgehen zu sollen« (weil sie als Staaten innerlich schon eine rechtliche Verfassung haben und also dem Zwange anderer, sie nach ihren Rechtsbegriffen unter eine erweiterte gesetzliche Verfassung zu bringen, entwachsen sind), indessen daß doch die Vernunft vom Throne der höchsten moralisch gesetzgebenden Gewalt herab den Krieg als Rechtsgang schlechterdings verdammt, den Friedenszustand dagegen zur unmittelbaren Pflicht macht, welcher doch ohne einen Vertrag der Völker unter sich nicht gestiftet oder gesichert werden kann: – so muß es einen Bund von besonderer Art geben, den man den Friedensbund (*foedus pacificum*) nennen kann, der vom Friedensvertrag (*pactum pacis*) darin unterschieden sein würde, daß dieser bloß einen Krieg, jener aber alle Kriege auf immer zu endigen suchte. Dieser Bund geht auf keinen Erwerb irgend einer Macht des Staats, sondern lediglich auf Erhaltung und Sicherung der Freiheit eines Staats für sich selbst und zugleich anderer verbündeten Staaten, ohne daß diese doch sich deshalb (wie Menschen im Naturzustande) öffentlichen Gesetzen und einem Zwange unter denselben unterwerfen dürfen. – Die Ausführbarkeit (objektive Realität) dieser Idee der Föderalität, die sich allmählich über alle Staaten erstrecken soll und so zum ewigen Frieden hinführt, läßt sich darstellen. Denn wenn das Glück es so fügt: daß ein mächtiges und aufgeklärtes Volk sich zu einer Republik (die ihrer Natur nach zum ewigen Frieden geneigt sein muß) bilden kann, so gibt diese einen Mittelpunkt der föderativen Vereinigung für andere Staaten ab, um sich an sie anzuschließen und so den Freiheitszustand der Staaten gemäß der Idee des Völkerrechts zu sichern und sich durch mehrere Verbindungen dieser Art nach und nach immer weiter auszubreiten.

Daß ein Volk sagt: »Es soll unter uns kein Krieg sein; denn wir wollen uns in einem Staat formieren, d.i. uns selbst eine oberste gesetzgebende, regierende und richtende Gewalt setzen, die unsere Streitigkeiten friedlich ausgleicht« – das läßt sich verstehen. – – Wenn aber dieser Staat sagt: »Es soll kein Krieg zwischen mir und andern Staaten sein, obgleich ich keine oberste gesetzgebende Gewalt erkenne, die mir mein und der ich ihr Recht sichere«, so ist es gar nicht zu verstehen, worauf ich dann das Vertrauen zu meinem Rechte gründen wolle, wenn es nicht das Surrogat des bürgerlichen Gesellschaftbundes, nämlich der freie Föderalism, ist, den die Vernunft mit dem Begriffe des Völkerrechts notwendig verbinden muß, wenn überall etwas dabei zu denken übrig bleiben soll.

Bei dem Begriffe des Völkerrechts, als eines Rechts zum Kriege, läßt sich eigentlich gar nichts denken (weil es ein Recht sein soll, nicht nach allgemein gültigen äußern, die Freiheit jedes einzelnen einschränkenden Gesetzen, sondern nach einseitigen Maximen durch Gewalt, was Recht sei, zu bestimmen), es müßte denn darunter verstanden werden: daß Menschen, die so gesinnt sind, ganz recht geschieht, wenn sie sich untereinander aufreiben und also den ewigen Frieden in dem weiten Grabe finden, das alle Greuel der Gewalttätigkeit samt ihren Urhebern bedeckt. –

Für Staaten im Verhältnisse untereinander kann es nach der Vernunft keine andere Art geben, aus dem gesetzlosen Zustande, der lauter Krieg enthält, herauszukommen, als daß sie ebenso wie einzelne Menschen ihre wilde (gesetzlose) Freiheit aufgeben, sich zu öffentlichen Zwangsgesetzen bequemen und so einen (freilich immer wachsenden) Völkerstaat (*civitas gentium*), der zuletzt alle Völker der Erde befassen würde, bilden. Da sie dieses aber nach ihrer Idee vom Völkerrecht durchaus nicht wollen, mithin, was *in thesi* richtig ist, *in hypothesi* verwerfen, so kann an die Stelle der positiven Idee einer Weltrepublik (wenn nicht alles verloren werden soll) nur das negative Surrogat eines den Krieg abwehrenden, bestehenden und sich immer ausbreitenden Bundes den Strom der rechtscheuenden, feindseligen Neigung aufhalten, doch mit beständiger Gefahr ihres Ausbruchs (*Furor impius intus – fremit horridus ore cruento.* Virgil).*

* Nach einem beendigten Kriege, beim Friedensschlusse, möchte es wohl für ein Volk nicht unschicklich sein, daß nach dem Dankfeste ein Bußtag ausgeschrieben würde, den Himmel im Namen des Staats um Gnade für die große Versündigung anzurufen, die das menschliche Geschlecht sich noch immer zuschulden kommen läßt, sich keiner gesetzlichen Verfassung im Verhältnis auf andere Völker fügen zu wollen, sondern stolz auf seine Unabhängigkeit lieber das barbarische Mittel des Krieges (wodurch doch das, was gesucht wird, nämlich das Recht eines jeden Staats, nicht ausgemacht wird) zu gebrauchen. – Die Dankfeste während dem Kriege über einen erfochtenen Sieg, die Hymnen, die (auf gut israelitisch) dem Herrn der Heerscharen gesungen werden, stehen mit der moralischen Idee des Vaters der Menschen in nicht minder starkem Kontrast: weil sie außer der Gleichgültigkeit wegen der Art, wie Völker ihr gegenseitiges Recht suchen (die traurig genug

Dritter Definitivartikel zum ewigen Frieden

»Das **Weltbürgerrecht** soll auf Bedingungen der allgemeinen Hospitalität eingeschränkt sein.«

Es ist hier wie in den vorigen Artikeln nicht von Philanthropie, sondern vom Recht die Rede, und da bedeutet Hospitalität (Wirtbarkeit) das Recht eines Fremdlings, seiner Ankunft auf dem Boden eines andern wegen von diesem nicht feindselig behandelt zu werden. Dieser kann ihn abweisen, wenn es ohne seinen Untergang geschehen kann, solange er aber auf seinem Platz sich friedlich verhält, ihm nicht feindlich begegnen. Es ist kein Gastrecht, worauf dieser Anspruch machen kann (wozu ein besonderer wohltätiger Vertrag erfordert werden würde, ihn auf eine gewisse Zeit zum Hausgenossen zu machen), sondern ein Besuchsrecht, welches allen Menschen zusteht, sich zur Gesellschaft anzubieten vermöge des Rechts des gemeinschaftlichen Besitzes der Oberfläche der Erde, auf der als Kugelfläche sie sich nicht ins Unendliche zerstreuen können, sondern endlich sich doch nebeneinander dulden müssen, ursprünglich aber niemand an einem Orte der Erde zu sein mehr Recht hat, als der andere. – Unbewohnbare Teile dieser Oberfläche, das Meer und die Sandwüsten, trennen diese Gemeinschaft, doch so, daß das Schiff, oder das Kamel (das Schiff der Wüste) es möglich machen, über diese herrenlose Gegenden sich einander zu nähern und das Recht der Oberfläche, welches der Menschengattung gemeinschaftlich zukommt, zu einem

ist), noch eine Freude hineinbringen, recht viel Menschen oder ihr Glück zernichtet zu haben.

möglichen Verkehr zu benutzen. Die Unwirtbarkeit der Seeküsten (z. B. der Barbaresken), Schiffe in nahen Meeren zu rauben, oder gestrandete Schiffsleute zu Sklaven zu machen, oder die der Sandwüsten (der arabischen Beduinen), die Annäherung zu den nomadischen Stämmen als ein Recht anzusehen, sie zu plündern, ist also dem Naturrecht zuwider, welches Hospitalitätsrecht aber, d. i. die Befugnis der fremden Ankömmlinge, sich nicht weiter erstreckt, als auf die Bedingungen der Möglichkeit, einen Verkehr mit den alten Einwohnern zu *versuchen*. – Auf diese Art können entfernte Weltteile miteinander friedlich in Verhältnisse kommen, die zuletzt öffentlich gesetzlich werden und so das menschliche Geschlecht endlich einer weltbürgerlichen Verfassung immer näher bringen können.

Vergleicht man hiemit das *inhospitale* Betragen der gesitteten, vornehmlich handeltreibenden Staaten unseres Weltteils, so geht die Ungerechtigkeit, die sie in dem *Besuche* fremder Länder und Völker (welches ihnen mit dem *Erobern* derselben für einerlei gilt) beweisen, bis zum Erschrecken weit. Amerika, die Negerländer, die Gewürzinseln, das Kap etc. waren bei ihrer Entdeckung für sie Länder, die keinem angehörten; denn die Einwohner rechneten sie für nichts. In Ostindien (Hindustan) brachten sie unter dem Vorwande bloß beabsichtigter Handelsniederlagen fremde Kriegesvölker hinein, mit ihnen aber Unterdrückung der Eingebornen, Aufwiegelung der verschiedenen Staaten desselben zu weit ausgebreiteten Kriegen, Hungersnot, Aufruhr, Treulosigkeit, und wie die Litanei aller Übel, die das menschliche Geschlecht drücken, weiter lauten mag.

China* und Japan (Nip[p]on), die den Versuch mit solchen Gästen gemacht hatten, haben daher weislich, jenes

* Um dieses große Reich mit dem Namen, womit es sich selbst benennt, zu schreiben (nämlich China, nicht Sina, oder einen diesem ähnlichen Laut), darf man nur Georgii Alphab. Tibet. pag. 651–654, vornehmlich Nota b unten nachsehen. – Eigentlich führt es nach des Petersb. Prof. Fischer Bemerkung keinen bestimmten Namen, womit es sich selbst benennt; der gewöhnlichste ist noch der des Worts *Kin*, nämlich Gold (welches die Tibetaner mit *Ser* ausdrücken), daher der Kaiser König des Goldes (des herrlichsten Landes von der Welt) genannt wird, welches Wort wohl im Reiche selbst wie *Chin* lauten, aber von den italienischen Missionarien (des Gutturalbuchstabens wegen) wie *Kin* ausgesprochen sein mag. – Hieraus ersieht man dann, daß das von den Römern sogenannte Land der Serer China war, die Seide aber über Groß-Tibet (vermutlich durch Klein-Tibet und die Bucharei über Persien, so weiter) nach Europa gefördert worden, welches zu manchen Betrachtungen über das Altertum dieses erstaunlichen Staats in Vergleichung mit dem von Hindustan bei der Verknüpfung mit Tibet und durch dieses mit Japan hinleitet; indessen daß der Name Sina oder Tschina, den die Nachbarn diesem Lande geben sollen, zu nichts hinführt. – – Vielleicht läßt sich auch die uralte, obzwar nie recht bekannt gewordene Gemeinschaft Europens mit Tibet aus dem, was uns Hesychius hievon aufbehalten hat, nämlich dem Zuruf Κονξ Ὀμπαξ (Konx Ompax) des Hierophanten in den Eleusinischen Geheimnissen, erklären. (S. Reise des jüngern Anacharsis, 5. Teil, S. 447 u. f.) – Denn nach Georgii Alph. Tibet. bedeutet das Wort *Concioa* Gott, welches eine auffallende Ähnlichkeit mit *Konx* hat, *Pah-cio* (ib. p. 520), welches von den Griechen leicht wie *pax* ausgesprochen werden konnte, *promulgator legis*, die durch die ganze Natur verteilte Gottheit (auch *Cenresi* genannt, p. 177). – *Om* aber, welches *La Croze* durch *benedictus*, gesegnet, übersetzt, kann, auf die Gottheit angewandt, wohl nichts anders als den Seliggepriesenen bedeuten, p. 507. Da nun P. Franz. Horatius von den tibetani-

zwar den Zugang, aber nicht den Eingang, dieses auch den ersteren nur einem einzigen europäischen Volk, den Holländern, erlaubt, die sie aber doch dabei wie Gefangene von der Gemeinschaft mit den Eingebornen ausschließen. Das Ärgste hiebei (oder, aus dem Standpunkte eines moralischen Richters betrachtet, das Beste) ist, daß sie dieser Gewalttätigkeit nicht einmal froh werden, daß alle diese Handlungsgesellschaften auf dem Punkte des nahen Umsturzes stehen, daß die Zuckerinseln, dieser Sitz der allergrausamsten und ausgedachtesten Sklaverei, keinen wahren Ertrag abwerfen, sondern nur mittelbar und zwar zu einer nicht sehr löblichen Absicht, nämlich zu Bildung der Matrosen für Kriegsflotten und also wieder zu Führung der Kriege in Europa, dienen, und dieses Mächten, die von der Frömmigkeit viel Werks machen und, indem sie Unrecht wie Wasser trinken, sich in der Rechtgläubigkeit für Auserwählte gehalten wissen wollen.

schen Lamas, die er oft befrug, was sie unter Gott (*Concioa*) verständen, jederzeit die Antwort bekam: »Es ist die Versammlung aller Heiligen« (d. i. der seligen durch die lamaische Wiedergeburt nach vielen Wanderungen durch allerlei Körper endlich in die Gottheit zurückgekehrten, in Burchane, d. i. anbetungswürdige Wesen, verwandelten Seelen, p. 223), so wird jenes geheimnisvolle Wort *Konx Ompax* wohl das heilige (*Konx*), selige (*Om*) und weise (*Pax*), durch die Welt überall verbreitete höchste Wesen (die personifizierte Natur) bedeuten sollen und, in den griechischen Mysterien gebraucht, wohl den Monotheism für die Epopten im Gegensatz mit dem Polytheism des Volks angedeutet haben; obwohl P. Horatius (a. a. O.) hierunter einen Atheism witterte. – Wie aber jenes geheimnisvolle Wort über Tibet zu den Griechen gekommen, läßt sich auf obige Art erklären und umgekehrt dadurch auch das frühe Verkehr Europens mit China über Tibet (vielleicht eher noch als mit Hindustan) wahrscheinlich machen.

Da es nun mit der unter den Völkern der Erde einmal durchgängig überhand genommenen (engeren oder weiteren) Gemeinschaft so weit gekommen ist, daß die Rechtsverletzung an *einem* Platz der Erde an *allen* gefühlt wird: so ist die Idee eines Weltbürgerrechts keine phantastische und überspannte Vorstellungsart des Rechts, sondern eine notwendige Ergänzung des ungeschriebenen Kodex sowohl des Staats- als Völkerrechts zum öffentlichen Menschenrechte überhaupt und so zum ewigen Frieden, zu dem man sich in der kontinuierlichen Annäherung zu befinden nur unter dieser Bedingung schmeicheln darf.

Erster Zusatz

Von der Garantie des ewigen Friedens

Das, was diese *Gewähr* (Garantie) leistet, ist nichts Geringeres, als die große Künstlerin *Natur* (*natura daedala rerum*), aus deren mechanischem Laufe sichtbarlich Zweckmäßigkeit hervorleuchtet, durch die Zwietracht der Menschen Eintracht selbst wider ihren Willen emporkommen zu lassen, und darum, gleich als Nötigung einer ihren Wirkungsgesetzen nach uns unbekannten Ursache, *Schicksal*, bei Erwägung aber ihrer Zweckmäßigkeit im Laufe der Welt, als tiefliegende Weisheit einer höheren, auf den objektiven Endzweck des menschlichen Geschlechts gerichteten und diesen Weltlauf prädeterminierenden Ursache *Vorsehung** genannt wird, die wir zwar eigentlich nicht

* Im Mechanism der Natur, wozu der Mensch (als Sinnenwesen) mit gehört, zeigt sich eine ihrer Existenz schon zum Grunde liegende

an diesen Kunstanstalten der Natur erkennen, oder auch nur daraus auf sie schließen, sondern (wie in aller Bezie-

Form, die wir uns nicht anders begreiflich machen können, als indem wir ihr den Zweck eines sie vorher bestimmenden Welturhebers unterlegen, dessen Vorherbestimmung wir die (göttliche) Vorsehung überhaupt und, sofern sie in den Anfang der Welt gelegt wird, die gründende (*providentia conditrix; semel iussit, semper parent,* Augustin.), im Laufe der Natur aber diesen nach allgemeinen Gesetzen der Zweckmäßigkeit zu erhalten, die waltende Vorsehung (*providentia gubernatrix*), ferner zu besonderen, aber von dem Menschen nicht vorherzusehenden, sondern nur aus dem Erfolg vermuteten Zwecken die leitende (*providentia directrix*), endlich sogar in Ansehung einzelner Begebenheiten als göttlicher Zwecke nicht mehr Vorsehung, sondern Fügung (*directio extraordinaria*) nennen, welche aber (da sie in der Tat auf Wunder hinweiset, obgleich die Begebenheiten nicht so genannt werden) als solche erkennen zu wollen, törichte Vermessenheit des Menschen ist: weil aus einer einzelnen Begebenheit auf ein besonderes Prinzip der wirkenden Ursache (daß diese Begebenheit Zweck und nicht bloß naturmechanische Nebenfolge aus einem anderen, uns ganz unbekannten Zwecke sei) zu schließen ungereimt und voll Eigendünkel ist, so fromm und demütig auch die Sprache hierüber lauten mag. – Ebenso ist auch die Einteilung der Vorsehung (materialiter betrachtet), wie sie auf Gegenstände in der Welt geht, in die allgemeine und besondere falsch und sich selbst widersprechend (daß sie z. B. zwar eine Vorsorge zur Erhaltung der Gattungen der Geschöpfe sei, die Individuen aber dem Zufall überlasse); denn sie wird eben in der Absicht allgemein genannt, damit kein einziges Ding als davon ausgenommen gedacht werde. – Vermutlich hat man hier die Einteilung der Vorsehung (formaliter betrachtet) nach der Art der Ausführung ihrer Absicht gemeint: nämlich in ordentliche (z. B. das jährliche Sterben und Wiederaufleben der Natur nach dem Wechsel der Jahreszeiten) und außerordentliche (z. B. die Zuführung des Holzes an die Eisküs-

hung der Form der Dinge auf Zwecke überhaupt) nur hinzudenken können und müssen, um uns von ihrer Mög-

ten, das da nicht wachsen kann, durch die Meerströme für die dortigen Einwohner, die ohne das nicht leben könnten), wo, ob wir gleich die physisch-mechanische Ursache dieser Erscheinungen uns gut erklären können (z. B. durch die mit Holz bewachsene Ufer der Flüsse der temperierten Länder, in welche jene Bäume hineinfallen und etwa durch den Golfstrom weiter verschleppt werden), wir dennoch auch die teleologische nicht übersehen müssen, die auf die Vorsorge einer über die Natur gebietenden Weisheit hinweiset. – Nur was den in den Schulen gebräuchlichen Begriff eines göttlichen Beitritts oder Mitwirkung (*concursus*) zu einer Wirkung in der Sinnenwelt betrifft, so muß dieser wegfallen. Denn das Ungleichartige paaren wollen (*gryphes iungere equis*) und den, der selbst die vollständige Ursache der Weltveränderungen ist, seine eigene prädeterminierende Vorsehung während dem Weltlaufe ergänzen zu lassen (die also mangelhaft gewesen sein müßte), z. B. zu sagen, daß nächst Gott der Arzt den Kranken zurecht gebracht habe, also als Beistand dabei gewesen sei, ist erstlich an sich widersprechend. Denn *causa solitaria non iuvat.* Gott ist der Urheber des Arztes samt allen seinen Heilmitteln, und so muß ihm, wenn man ja bis zum höchsten, uns theoretisch unbegreiflichen Urgrunde hinaufsteigen will, die Wirkung ganz zugeschrieben werden. Oder man kann sie auch ganz dem Arzt zuschreiben, sofern wir diese Begebenheit als nach der Ordnung der Natur erklärbar in der Kette der Weltursachen verfolgen. Zweitens bringt eine solche Denkungsart auch um alle bestimmte Prinzipien der Beurteilung eines Effekts. Aber in moralisch-praktischer Absicht (die also ganz aufs Übersinnliche gerichtet ist), z. B. in dem Glauben, daß Gott den Mangel unserer eigenen Gerechtigkeit, wenn nur unsere Gesinnung echt war, auch durch uns unbegreifliche Mittel ergänzen werde, wir also in der Bestrebung zum Guten nichts nachlassen sollen, ist der Begriff des göttlichen *concursus* ganz schicklich und sogar notwendig; wobei es sich aber von selbst versteht, daß niemand eine gute

lichkeit nach der Analogie menschlicher Kunsthandlungen einen Begriff zu machen, deren Verhältnis und Zusammenstimmung aber zu dem Zwecke, den uns die Vernunft unmittelbar vorschreibt (dem moralischen), sich vorzustellen, eine Idee ist, die zwar in *theoretischer* Absicht überschwenglich, in praktischer aber (z. B. in Ansehung des Pflichtbegriffs *vom ewigen Frieden*, um jenen Mechanism der Natur dazu zu benutzen) dogmatisch und ihrer Realität nach wohl gegründet ist. – Der Gebrauch des Worts *Natur* ist auch, wenn es wie hier bloß um Theorie (nicht um Religion) zu tun ist, schicklicher für die Schranken der menschlichen Vernunft (als die sich in Ansehung des Verhältnisses der Wirkungen zu ihren Ursachen innerhalb der Grenzen möglicher Erfahrung halten muß) und *bescheidener*, als der Ausdruck einer für uns erkennbaren *Vorsehung*, mit dem man sich vermessenerweise ikarische Flügel ansetzt, um dem Geheimnis ihrer unergründlichen Absicht näher zu kommen.

Ehe wir nun diese Gewährleistung näher bestimmen, wird es nötig sein, vorher den Zustand nachzusuchen, den die Natur für die auf ihrem großen Schauplatz handelnde Personen veranstaltet hat, der ihre Friedenssicherung zuletzt notwendig macht; – alsdann aber allererst die Art, wie sie diese leiste.

Ihre provisorische Veranstaltung besteht darin: daß sie 1) für die Menschen in allen Erdgegenden gesorgt hat, daselbst leben zu können; – 2) sie durch *Krieg* allerwärts hin,

Handlung (als Begebenheit in der Welt) hieraus zu *erklären* versuchen muß, welches ein vorgebliches theoretisches Erkenntnis des Übersinnlichen, mithin ungereimt ist.

selbst in die unwirtbarste Gegenden getrieben hat, um sie zu bevölkern; – 3) durch eben denselben sie in mehr oder weniger gesetzliche Verhältnisse zu treten genötigt hat. – Daß in den kalten Wüsten am Eismeer noch das Moos wächst, welches das *Rentier* unter dem Schnee hervorscharrt, um selbst die Nahrung, oder auch das Angespann des Ostjaken oder Samojeden zu sein; oder daß die salzichten Sandwüsten doch noch dem *Kamel*, welches zu Bereisung derselben gleichsam geschaffen zu sein scheint, um sie nicht unbenutzt zu lassen, enthalten, ist schon bewundernswürdig. Noch deutlicher aber leuchtet der Zweck hervor, wenn man gewahr wird, wie außer den bepelzten Tieren am Ufer des Eismeeres noch Robben, Walrosse und Walfische an ihrem Fleische Nahrung und mit ihrem Tran Feurung für die dortigen Anwohner darreichen. Am meisten aber erregt die Vorsorge der Natur durch das Treibholz Bewunderung, was sie (ohne daß man recht weiß, wo es herkommt) diesen gewächslosen Gegenden zubringt, ohne welches Material sie weder ihre Fahrzeuge und Waffen, noch ihre Hütten zum Aufenthalt zurichten könnten; wo sie dann mit dem Kriege gegen die Tiere gnug zu tun haben, um unter sich friedlich zu leben. – – Was sie aber *dahin getrieben* hat, ist vermutlich nichts anders als der Krieg gewesen. Das erste *Kriegswerkzeug* aber unter allen Tieren, die der Mensch binnen der Zeit der Erdbevölkerung zu zähmen und häuslich zu machen gelernt hatte, ist das *Pferd* (denn der Elefant gehört in die spätere Zeit, nämlich des Luxus schon errichteter Staaten), sowie die Kunst, gewisse für uns jetzt ihrer ursprünglichen Beschaffenheit nach nicht mehr erkennbare Grasarten, *Getreide* genannt, anzubauen, ingleichen die Vervielfältigung und

Verfeinerung der *Obstarten* durch Verpflanzung und Einpfropfung (vielleicht in Europa bloß zweier Gattungen, der Holzäpfel und Holzbirnen) nur im Zustande schon errichteter Staaten, wo gesichertes Grundeigentum stattfand, entstehen konnte, – nachdem die Menschen vorher in gesetzloser Freiheit von dem *Jagd*-*, Fischer- und Hirtenleben bis zum *Ackerleben* durchgedrungen waren, und nun *Salz* und *Eisen* erfunden ward, vielleicht die ersten weit und breit gesuchten Artikel eines Handelsverkehrs verschiedener Völker, wodurch sie zuerst in ein *friedliches Verhältnis* gegeneinander und so, selbst mit Entfernteren, in Einverständnis, Gemeinschaft und friedliches Verhältnis untereinander gebracht wurden.

Indem die Natur nun dafür gesorgt hat, daß Menschen allerwärts auf Erden leben *könnten*, so hat sie zugleich auch despotisch gewollt, daß sie allerwärts leben *sollten*, wenngleich wider ihre Neigung, und selbst ohne daß dieses Sollen zugleich einen Pflichtbegriff voraussetzte, der sie hiezu vermittelst eines moralischen Gesetzes verbände, –

* Unter allen Lebensweisen ist das *Jagdleben* ohne Zweifel der gesitteten Verfassung am meisten zuwider: weil die Familien, die sich da vereinzelnen müssen, einander bald *fremd* und sonach, in weitläuftigen Wäldern zerstreut, auch bald *feindselig* werden, da eine jede zu Erwerbung ihrer Nahrung und Kleidung viel Raum bedarf. – Das *Noachische Blutverbot*, 1. M. IX, 4–6 (welches, öfters wiederholt, nachher gar den neuangenommenen Christen aus dem Heidentum, obzwar in anderer Rücksicht, von den Judenchristen zur Bedingung gemacht wurde, Apost.-Gesch. XV, 20. XXI, 25), scheint uranfänglich nichts anders, als das Verbot des *Jägerlebens* gewesen zu sein: weil in diesem der Fall, das Fleisch roh zu essen, oft eintreten muß, mit dem letzteren also das erstere zugleich verboten wird.

sondern sie hat, zu diesem ihrem Zweck zu gelangen, den Krieg gewählt. – Wir sehen nämlich Völker, die an der Einheit ihrer Sprache die Einheit ihrer Abstammung kennbar machen, wie die *Samojeden* am Eismeer einerseits und ein Volk von ähnlicher Sprache, zweihundert Meilen davon entfernt, im *Altaischen* Gebirge andererseits, wozwischen sich ein anderes, nämlich mongalisches, berittenes und hiemit kriegerisches Volk, gedrängt und so jenen Teil ihres Stammes weit von diesem in die unwirtbarsten Eisgegenden versprengt hat, wo sie gewiß nicht aus eigener Neigung sich hin verbreitet hätten;* – ebenso die *Finnen* in der nordlichsten Gegend von Europa, *Lappen* genannt, von den jetzt ebenso weit entfernten, aber der Sprache nach mit ihnen verwandten *Ungern* durch dazwischen eingedrungene gotische und sarmatische Völker getrennt; und was kann wohl anders die *Eskimos* (vielleicht uralte europäische Abenteurer, ein von allen Amerikanern ganz unterschiedenes Geschlecht) im Norden und die *Pescheräs* im Süden von Amerika bis zum Feuerlande hingetrieben haben, als der Krieg, dessen sich die Natur als Mittels be-

* Man könnte fragen: Wenn die Natur gewollt hat, diese Eisküsten sollten nicht unbewohnt bleiben, was wird aus ihren Bewohnern, wenn sie ihnen dereinst (wie zu erwarten ist) kein Treibholz mehr zuführte? Denn es ist zu glauben, daß bei fortrückender Kultur die Einsassen der temperierten Erdstriche das Holz, was an den Ufern ihrer Ströme wächst, besser benutzen, es nicht in die Ströme fallen und so in die See wegschwemmen lassen werden. Ich antworte: Die Anwohner des *Obstroms*, des Jenissei, des Lena u.s.w. werden es ihnen durch Handel zuführen und dafür die Produkte aus dem Tierreich, woran das Meer an den Eisküsten so reich ist, einhandeln, wenn sie (die Natur) nur allererst den Frieden unter ihnen erzwungen haben wird.

dient, die Erde allerwärts zu bevölkern? Der Krieg aber selbst bedarf keines besondern Bewegungsgrundes, sondern scheint auf die menschliche Natur gepfropft zu sein und sogar als etwas Edles, wozu der Mensch durch den Ehrtrieb ohne eigennützige Triebfedern beseelt wird, zu gelten: so daß Kriegesmut (von amerikanischen Wilden sowohl, als den europäischen in den Ritterzeiten) nicht bloß, wenn Krieg ist (wie billig), sondern auch, daß Krieg sei, von unmittelbarem großem Wert zu sein geurteilt wird, und er oft, bloß um jenen zu zeigen, angefangen, mithin in dem Kriege an sich selbst eine innere Würde gesetzt wird, sogar daß ihm auch wohl Philosophen, als einer gewissen Veredelung der Menschheit, eine Lobrede halten, uneingedenk des Ausspruchs jenes Griechen: »Der Krieg ist darin schlimm, daß er mehr böse Leute macht, als er deren wegnimmt.« – So viel von dem, was die Natur für ihren eigenen Zweck in Ansehung der Menschengattung als einer Tierklasse tut.

Jetzt ist die Frage, die das Wesentliche der Absicht auf den ewigen Frieden betrifft: Was die Natur in dieser Absicht beziehungsweise auf den Zweck, den dem Menschen seine eigene Vernunft zur Pflicht macht, mithin zu Begünstigung seiner moralischen Absicht tue, und wie sie die Gewähr leiste, daß dasjenige, was der Mensch nach Freiheitsgesetzen tun sollte, aber nicht tut, dieser Freiheit unbeschadet auch durch einen Zwang der Natur, daß er es tun werde, gesichert sei, und zwar nach allen drei Verhältnissen des öffentlichen Rechts, des Staats-, Völker- und weltbürgerlichen Rechts. – Wenn ich von der Natur sage: sie will, daß dieses oder jenes geschehe, so heißt das nicht so viel als: sie legt uns eine Pflicht auf, es zu tun (denn das kann nur die zwangsfreie praktische Vernunft), sondern sie tut es selbst, wir mögen wollen oder nicht (*fata volentem ducunt, nolentem trahunt*).

1. Wenn ein Volk auch nicht durch innere Mißhelligkeit genötigt würde, sich unter den Zwang öffentlicher Gesetze zu begeben, so würde es doch der Krieg von außen tun, indem nach der vorher erwähnten Naturanstalt ein jedes Volk ein anderes es drängende Volk zum Nachbar vor sich findet, gegen das es sich innerlich zu einem Staat bilden muß, um als Macht gegen diesen gerüstet zu sein. Nun ist die republikanische Verfassung die einzige, welche dem Recht der Menschen vollkommen angemessen, aber auch die schwerste zu stiften, vielmehr noch zu erhalten ist, dermaßen daß viele behaupten, es müsse ein Staat von Engeln sein, weil Menschen mit ihren selbstsüchtigen Neigungen einer Verfassung von so sublimer Form nicht fähig wären. Aber nun kommt die Natur dem verehrten, aber zur Praxis ohnmächtigen allgemeinen, in der Vernunft gegründeten Willen und zwar gerade durch jene selbstsüchtige Neigungen zu Hülfe, so daß es nur auf eine gute Organisation des Staats ankommt (die allerdings im Vermögen der Menschen ist), jener ihre Kräfte so gegeneinander zu richten, daß eine die anderen in ihrer zerstörenden Wirkung aufhält, oder diese aufhebt: so daß der Erfolg für die Vernunft so ausfällt, als wenn beide gar nicht da wären, und so der Mensch, wenngleich nicht ein moralisch-guter Mensch, dennoch ein guter Bürger zu sein gezwungen wird. Das Problem der Staatserrichtung ist, so hart wie es auch klingt, selbst für ein Volk von Teufeln

(wenn sie nur Verstand haben) auflösbar und lautet so: »Eine Menge von vernünftigen Wesen, die insgesamt allgemeine Gesetze für ihre Erhaltung verlangen, deren jedes aber ingeheim sich davon auszunehmen geneigt ist, so zu ordnen und ihre Verfassung einzurichten, daß, obgleich sie in ihren Privatgesinnungen einander entgegenstreben, diese einander doch so aufhalten, daß in ihrem öffentlichen Verhalten der Erfolg eben derselbe ist, als ob sie keine solche böse Gesinnungen hätten.« Ein solches Problem muß auflöslich sein. Denn es ist nicht die moralische Besserung der Menschen, sondern nur der Mechanism der Natur, von dem die Aufgabe zu wissen verlangt, wie man ihn an Menschen benutzen könne, um den Widerstreit ihrer unfriedlichen Gesinnungen in einem Volk so zu richten, daß sie sich unter Zwangsgesetze zu begeben einander selbst nötigen und so den Friedenszustand, in welchem Gesetze Kraft haben, herbeiführen müssen. Man kann dieses auch an den wirklich vorhandenen, noch sehr unvollkommen organisierten Staaten sehen, daß sie sich doch im äußeren Verhalten dem, was die Rechtsidee vorschreibt, schon sehr nähern, obgleich das Innere der Moralität davon sicherlich nicht die Ursache ist (wie denn auch nicht von dieser die gute Staatsverfassung, sondern vielmehr umgekehrt von der letzteren allererst die gute moralische Bildung eines Volks zu erwarten ist), mithin der Mechanism der Natur durch selbstsüchtige Neigungen, die natürlicherweise einander auch äußerlich entgegenwirken, von der Vernunft zu einem Mittel gebraucht werden kann, dieser ihrem eigenen Zweck, der rechtlichen Vorschrift, Raum zu machen und hiemit auch, soviel an dem Staat selbst liegt, den inneren sowohl als äußeren Frieden zu befördern und zu sichern. – Hier heißt es also: Die Natur *will* unwiderstehlich, daß das Recht zuletzt die Obergewalt erhalte. Was man nun hier verabsäumt zu tun, das macht sich zuletzt selbst, obzwar mit viel Ungemächlichkeit. – »Biegt man das Rohr zu stark, so bricht's; und wer zu viel will, der will nichts.« *Bouterwek.*

2. Die Idee des Völkerrechts setzt die *Absonderung* vieler voneinander unabhängiger benachbarter Staaten voraus; und obgleich ein solcher Zustand an sich schon ein Zustand des Krieges ist (wenn nicht eine föderative Vereinigung derselben dem Ausbruch der Feindseligkeiten vorbeugt): so ist doch selbst dieser nach der Vernunftidee besser als die Zusammenschmelzung derselben durch eine die andere überwachsende und in eine Universalmonarchie übergehende Macht, weil die Gesetze mit dem vergrößerten Umfange der Regierung immer mehr an ihrem Nachdruck einbüßen, und ein seelenloser Despotism, nachdem er die Keime des Guten ausgerottet hat, zuletzt doch in Anarchie verfällt. Indessen ist dieses das Verlangen jedes Staats (oder seines Oberhaupts), auf diese Art sich in den dauernden Friedenszustand zu versetzen, daß er womöglich die ganze Welt beherrscht. Aber die *Natur will* es anders. – Sie bedient sich zweier Mittel, um Völker von der Vermischung abzuhalten und sie abzusondern, der Verschiedenheit der *Sprachen* und der *Religionen**, die zwar den

* Verschiedenheit der Religionen: ein wunderlicher Ausdruck! gerade als ob man auch von verschiedenen *Moralen* spräche. Es kann wohl verschiedene *Glaubensarten* historischer, nicht in die Religion, sondern in die Geschichte der zu ihrer Beförderung gebrauch-

Hang zum wechselseitigen Hasse und Vorwand zum Kriege bei sich führt, aber doch bei anwachsender Kultur und der allmähligen Annäherung der Menschen zu größerer Einstimmung in Prinzipien zum Einverständnisse in einem Frieden leitet, der nicht wie jener Despotism (auf dem Kirchhofe der Freiheit) durch Schwächung aller Kräfte, sondern durch ihr Gleichgewicht im lebhaftesten Wetteifer derselben hervorgebracht und gesichert wird.

3. So wie die Natur weislich die Völker trennt, welche der Wille jedes Staats und zwar selbst nach Gründen des Völkerrechts gern unter sich durch List oder Gewalt vereinigen möchte: so vereinigt sie auch andererseits Völker, die der Begriff des Weltbürgerrechts gegen Gewalttätigkeit und Krieg nicht würde gesichert haben, durch den wechselseitigen Eigennutz. Es ist der *Handelsgeist*, der mit dem Kriege nicht zusammen bestehen kann, und der früher oder später sich jedes Volks bemächtigt. Weil nämlich unter allen der Staatsmacht untergeordneten Mächten (Mitteln) die *Geldmacht* wohl die zuverlässigste sein möchte, so sehen sich Staaten (freilich wohl nicht eben durch Triebfedern der Moralität) gedrungen, den edlen Frieden zu befördern und, wo auch immer in der Welt Krieg auszubrechen droht, ihn durch Vermittelungen abzuwehren, gleich als ob sie deshalb im beständigen Bündnisse ständen; denn große

ten, ins Feld der Gelehrsamkeit einschlagender Mittel und ebenso verschiedene *Religionsbücher* (Zendavesta, Bedam, Koran u.s.w.) geben, aber nur eine einzige für alle Menschen und in allen Zeiten gültige *Religion*. Jene also können wohl nichts anders als nur das Vehikel der Religion, was zufällig ist und nach Verschiedenheit der Zeiten und Örter verschieden sein kann, enthalten.

Vereinigungen zum Kriege können der Natur der Sache nach sich nur höchst selten zutragen und noch seltener glücken. – – Auf die Art garantiert die Natur durch den Mechanism der menschlichen Neigungen selbst den ewigen Frieden; freilich mit einer Sicherheit, die nicht hinreichend ist, die Zukunft desselben (theoretisch) zu *weissagen*, aber doch in praktischer Absicht zulangt und es zur Pflicht macht, zu diesem (nicht bloß schimärischen) Zwecke hinzuarbeiten.

Zweiter Zusatz

Geheimer Artikel zum ewigen Frieden

Ein geheimer Artikel in Verhandlungen des öffentlichen Rechts ist objektiv, d. i. seinem Inhalte nach betrachtet, ein Widerspruch; subjektiv aber, nach der Qualität der Person beurteilt, die ihn diktiert, kann gar wohl darin ein Geheimnis statthaben, daß sie es nämlich für ihre Würde bedenklich findet, sich öffentlich als Urheberin desselben anzukündigen.

Der einzige Artikel dieser Art ist in dem Satze enthalten: *Die Maximen der Philosophen über die Bedingungen der Möglichkeit des öffentlichen Friedens sollen von den zum Kriege gerüsteten Staaten zu Rate gezogen werden.*

Es scheint aber für die gesetzgebende Autorität eines Staats, dem man natürlicherweise die größte Weisheit beilegen muß, verkleinerlich zu sein, über die Grundsätze seines Verhaltens gegen andere Staaten bei *Untertanen* (den Philosophen) Belehrung zu suchen; gleichwohl aber sehr ratsam, es zu tun. Also wird der Staat die letztere stillschweigend (also indem er ein Geheimnis daraus macht) dazu auffordern, welches so viel heißt als: er wird sie frei und öffentlich über die allgemeine Maximen der Kriegsführung und Friedensstiftung reden lassen (denn das werden sie schon von selbst tun, wenn man es ihnen nur nicht verbietet), und die Übereinkunft der Staaten untereinander über diesen Punkt bedarf auch keiner besonderen Verabredung der Staaten unter sich in dieser Absicht, sondern liegt schon in der Verpflichtung durch allgemeine (moralisch-gesetzgebende) Menschenvernunft. – Es ist aber hiemit nicht gemeint: daß der Staat den Grundsätzen des Philosophen vor den Aussprüchen des Juristen (des Stellvertreters der Staatsmacht) den Vorzug einräumen müsse, sondern nur daß man ihn höre. Der letztere, der die Waage des Rechts und nebenbei auch das Schwert der Gerechtigkeit sich zum Symbol gemacht hat, bedient sich gemeiniglich des letzteren, nicht um etwa bloß alle fremde Einflüsse von dem ersteren abzuhalten, sondern wenn die eine Schale nicht sinken will, das Schwert mit hinein zu legen (*vae victis*), wozu der Jurist, der nicht zugleich (auch der Moralität nach) Philosoph ist, die größte Versuchung hat, weil es seines Amts nur ist, vorhandene Gesetze anzuwenden, nicht aber, ob diese selbst nicht einer Verbesserung bedürfen, zu untersuchen, und rechnet diesen in der Tat niedrigeren Rang seiner Fakultät, darum, weil er mit Macht begleitet ist (wie es auch mit den beiden anderen der Fall ist), zu den höheren. – Die philosophische steht unter dieser verbündeten Gewalt auf einer sehr niedrigen Stufe. So heißt es z. B. von der Philosophie, sie sei die Magd der Theologie (und ebenso lautet es von den zwei anderen). – Man sieht aber nicht recht, »ob sie ihrer gnädigen Frauen die Fackel vorträgt oder die Schleppe nachträgt«.

Daß Könige philosophieren, oder Philosophen Könige würden, ist nicht zu erwarten, aber auch nicht zu wünschen: weil der Besitz der Gewalt das freie Urteil der Vernunft unvermeidlich verdirbt. Daß aber Könige oder königliche (sich selbst nach Gleichheitsgesetzen beherrschende) Völker die Klasse der Philosophen nicht schwinden oder verstummen, sondern öffentlich sprechen lassen, ist beiden zu Beleuchtung ihres Geschäfts unentbehrlich und, weil diese Klasse ihrer Natur nach der Rottierung und Klubbenverbündung unfähig ist, wegen der Nachrede einer Propagande verdachtlos.

Anhang

I.

Über die Mißhelligkeit zwischen der Moral und der Politik in Absicht auf den ewigen Frieden

Die Moral ist schon an sich selbst eine Praxis in objektiver Bedeutung, als Inbegriff von unbedingt gebietenden Gesetzen, nach denen wir handeln *sollen*, und es ist offenbare Ungereimtheit, nachdem man diesem Pflichtbegriff seine Autorität zugestanden hat, noch sagen zu wollen, daß man es doch nicht *könne*. Denn alsdann fällt dieser Begriff aus der Moral von selbst weg (*ultra posse nemo obligatur*); mithin kann es keinen Streit der Politik als ausübender Rechtslehre mit der Moral als einer solchen, aber theoretischen (mithin keinen Streit der Praxis mit der Theorie) geben: man müßte denn unter der letzteren eine allgemeine *Klugheitslehre*, d. i. eine Theorie der Maximen verstehen, zu seinen auf Vorteil berechneten Absichten die tauglichsten Mittel zu wählen, d. i. leugnen, daß es überhaupt eine Moral gebe.

Die Politik sagt: »*Seid klug wie die Schlangen*«; die Moral setzt (als einschränkende Bedingung) hinzu: »*und ohne Falsch wie die Tauben*«. Wenn beides nicht in einem Gebote zusammen bestehen kann, so ist wirklich ein Streit der Politik mit der Moral; soll aber doch durchaus beides vereinigt sein, so ist der Begriff vom Gegenteil absurd, und die Frage, wie jener Streit auszugleichen sei, läßt sich gar nicht einmal als Aufgabe hinstellen. Obgleich der Satz: *Ehrlichkeit ist die beste Politik*, eine Theorie enthält, der die Praxis, leider! sehr häufig widerspricht: so ist doch der gleichfalls theoretische: *Ehrlichkeit ist besser denn alle Politik*, über allen Einwurf unendlich erhaben, ja die unumgängliche Bedingung der letzteren. Der Grenzgott der Moral weicht nicht dem Jupiter (dem Grenzgott der Gewalt); denn dieser steht noch unter dem Schicksal, d.i. die Vernunft ist nicht erleuchtet genug, die Reihe der vorherbestimmenden Ursachen zu übersehen, die den glücklichen oder schlimmen Erfolg aus dem Tun und Lassen der Menschen nach dem Mechanism der Natur mit Sicherheit vorher verkündigen (obgleich ihn dem Wunsche gemäß hoffen) lassen. Was man aber zu tun habe, um im Gleise der Pflicht (nach Regeln der Weisheit) zu bleiben, dazu und hiemit zum Endzweck leuchtet sie uns überall hell genug vor.

Nun gründet aber der Praktiker (dem die Moral bloße Theorie ist) seine trostlose Absprechung unserer gutmütigen Hoffnung (selbst bei eingeräumtem *Sollen* und *Können*) eigentlich darauf: daß er aus der Natur des Menschen vorherzusehen vorgibt, *er werde* dasjenige nie *wollen*, was erfordert wird, um jenen zum ewigen Frieden hinführenden Zweck zustande zu bringen. – Freilich ist das Wollen *aller einzelnen* Menschen, in einer gesetzlichen Verfassung nach Freiheitsprinzipien zu leben (die *distributive* Einheit des Willens *aller*), zu diesem Zweck nicht hinreichend, sondern daß *alle zusammen* diesen Zustand wollen (die *kollektive* Einheit des vereinigten Willens), diese Auflösung einer schweren Aufgabe, wird noch dazu erfordert, damit ein Ganzes der bürgerlichen Gesellschaft werde, und da also über diese Verschiedenheit des partikularen Wollens aller noch eine vereinigende Ursache desselben hinzukommen muß, um einen gemeinschaftlichen Willen herauszubringen, welches keiner von allen vermag: so ist in der Ausführung jener Idee (in der Praxis) auf keinen andern Anfang des rechtlichen Zustandes zu rechnen, als den durch Gewalt, auf deren Zwang nachher das öffentliche Recht gegründet wird; welches dann freilich (da man ohnedem des Gesetzgebers moralische Gesinnung hiebei wenig in Anschlag bringen kann, er werde nach geschehener Vereinigung der wüsten Menge in ein Volk diesem es nun überlassen, eine rechtliche Verfassung durch ihren gemeinsamen Willen zustande zu bringen) große Abweichungen von jener Idee (der Theorie) in der wirklichen Erfahrung schon zum voraus erwarten läßt.

Da heißt es dann: wer einmal die Gewalt in Händen hat, wird sich vom Volk nicht Gesetze vorschreiben lassen. Ein Staat, der einmal im Besitz ist, unter keinen äußeren Gesetzen zu stehen, wird sich in Ansehung der Art, wie er gegen andere Staaten sein Recht suchen soll, nicht von ihrem Richterstuhl abhängig machen, und selbst ein Weltteil, wenn er sich einem andern, der ihm übrigens nicht im Wege ist, überlegen fühlt, wird das Mittel der Verstärkung seiner Macht durch Beraubung oder gar Beherrschung desselben nicht unbenutzt lassen; und so zerrinnen nun alle Plane der Theorie für das Staats-, Völker- und Weltbürgerrecht in sachleere, unausführbare Ideale, dagegen eine Praxis, die auf empirische Prinzipien der menschlichen Natur gegründet ist, welche es nicht für zu niedrig hält, aus der Art, wie es in der Welt zugeht, Belehrung für ihre Maximen zu ziehen, einen sicheren Grund für ihr Gebäude der Staatsklugheit zu finden allein hoffen könne.

Freilich, wenn es keine Freiheit und darauf gegründetes moralisches Gesetz gibt, sondern alles, was geschieht oder geschehen kann, bloßer Mechanism der Natur ist, so ist Politik (als Kunst, diesen zur Regierung der Menschen zu benutzen) die ganze praktische Weisheit und der Rechtsbegriff ein sachleerer Gedanke. Findet man diesen aber doch unumgänglich nötig mit der Politik zu verbinden, ja ihn gar zur einschränkenden Bedingung der letztern zu erheben, so muß die Vereinbarkeit beider eingeräumt werden. Ich kann mir nun zwar einen moralischen Politiker, d.i. einen, der die Prinzipien der Staatsklugheit so nimmt, daß sie mit der Moral zusammen bestehen können, aber nicht einen politischen Moralisten denken, der sich eine Moral so schmiedet, wie es der Vorteil des Staatsmanns sich zuträglich findet.

Der moralische Politiker wird es sich zum Grundsatz machen: wenn einmal Gebrechen in der Staatsverfassung oder im Staatenverhältnis angetroffen werden, die man nicht hat verhüten können, so sei es Pflicht, vornehmlich für Staatsoberhäupter, dahin bedacht zu sein, wie sie so bald wie möglich gebessert und dem Naturrecht, so wie es in der Idee der Vernunft uns zum Muster vor Augen steht, angemessen gemacht werden könne: sollte es auch ihrer Selbstsucht Aufopferungen kosten. Da nun die Zerreißung eines Bandes der staats- oder weltbürgerlichen Vereinigung, ehe noch eine bessere Verfassung an die Stelle derselben zu treten in Bereitschaft ist, aller hierin mit der Moral einhelligen Staatsklugheit zuwider ist, so wäre es zwar ungereimt, zu fordern, jenes Gebrechen müsse sofort und mit Ungestüm abgeändert werden; aber daß wenigstens die Maxime der Notwendigkeit einer solchen Abänderung dem Machthabenden innigst beiwohne, um in beständiger Annäherung zu dem Zwecke (der nach Rechtsgesetzen besten Verfassung) zu bleiben, das kann doch von ihm gefordert werden. Ein Staat kann sich auch schon republikanisch *regieren*, wenn er gleich noch der vorliegenden Konstitution nach despotische *Herrschermacht* besitzt: bis allmählich das Volk des Einflusses der bloßen Idee der Autorität des Gesetzes (gleich als ob es physische Gewalt besäße) fähig wird und sonach zur eigenen Gesetzgebung (welche ursprünglich auf Recht gegründet ist) tüchtig befunden wird. Wenn auch durch den Ungestüm einer von der schlechten Verfassung erzeugten *Revolution* unrechtmäßigerweise eine gesetzmäßigere errungen wäre, so würde es doch auch alsdann nicht mehr für erlaubt gehalten werden müssen, das Volk wieder auf die alte zurückzuführen, obgleich während derselben jeder, der sich damit gewalttätig oder arglistig bemengt, mit Recht den Strafen des Aufrührers unterworfen sein würde. Was aber das äußere Staatenverhältnis betrifft, so kann von einem Staat nicht verlangt werden, daß er seine, obgleich despotische, Verfassung (die aber doch die stärkere in Beziehung auf äußere Feinde ist) ablegen solle, solange er Gefahr läuft, von andern Staaten sofort verschlungen zu werden; mithin muß bei jenem Vorsatz doch auch die Verzögerung der Ausführung bis zu besserer Zeitgelegenheit erlaubt sein.*

* Dies sind Erlaubnisgesetze der Vernunft, den Stand eines mit Ungerechtigkeit behafteten öffentlichen Rechts noch so lange beharren zu lassen, bis zur völligen Umwälzung alles entweder von selbst gereift, oder durch friedliche Mittel der Reife nahe gebracht worden: weil doch irgend eine *rechtliche*, obzwar nur in geringem Grade rechtmäßige, Verfassung besser ist als gar keine, welches letztere Schicksal (der Anarchie) eine *übereilte* Reform treffen würde. – Die Staatsweisheit wird sich also in dem Zustande,

Es mag also immer sein: daß die despotisierende (in der Ausübung fehlende) Moralisten wider die Staatsklugheit (durch übereilt genommene oder angepriesene Maßregeln) mannigfaltig verstoßen, so muß sie doch die Erfahrung bei diesem ihrem Verstoß wider die Natur nach und nach in ein besseres Gleis bringen; statt dessen die moralisierende Politiker durch Beschönigung rechtswidriger Staatsprinzipien unter dem Vorwande einer des Guten nach der Idee, wie sie die Vernunft vorschreibt, nicht *fähigen* menschlichen Natur, so viel an ihnen ist, das Besserwerden *unmöglich machen* und die Rechtsverletzung verewigen.

Statt der Praxis, deren sich diese staatskluge Männer rühmen, gehen sie mit *Praktiken* um, indem sie bloß darauf bedacht sind, dadurch, daß sie der jetzt herrschenden Gewalt zum Munde reden (um ihren Privatvorteil nicht zu verfehlen), das Volk und womöglich die ganze Welt preiszugeben; nach der Art echter Juristen (vom Handwerke, nicht von der *Gesetzgebung*), wenn sie sich bis zur Politik versteigen. Denn da dieser ihr Geschäfte nicht ist, über Gesetzgebung selbst zu vernünfteln, sondern die gegenwärtige Gebote des Landrechts zu vollziehen, so muß ihnen jede jetzt vorhandene gesetzliche Verfassung und, wenn diese höhern Orts abgeändert wird, die nun folgende immer die beste sein; wo dann alles so in sei-

worin die Dinge jetzt sind, Reformen dem Ideal des öffentlichen Rechts angemessen zur Pflicht machen; Revolutionen aber, wo sie die Natur von selbst herbeiführt, nicht zur Beschönigung einer noch größeren Unterdrückung, sondern als Ruf der Natur benutzen, eine auf Freiheitsprinzipien gegründete gesetzliche Verfassung, als die einzige dauerhafte, durch gründliche Reform zustande zu bringen.

ner gehörigen mechanischen Ordnung ist. Wenn aber diese Geschicklichkeit, für alle Sättel gerecht zu sein, ihnen den Wahn einflößt, auch über Prinzipien einer Staatsverfassung überhaupt nach Rechtsbegriffen (mithin a priori, nicht empirisch) urteilen zu können; wenn sie darauf großtun, Menschen zu kennen (welches freilich zu erwarten ist, weil sie mit vielen zu tun haben), ohne doch den Menschen, und was aus ihm gemacht werden kann, zu kennen (wozu ein höherer Standpunkt der anthropologischen Beobachtung erfordert wird), mit diesen Begriffen aber versehen, ans Staats- und Völkerrecht, wie es die Vernunft vorschreibt, gehen: so können sie diesen Überschritt nicht anders, als mit dem Geist der Schikane tun, indem sie ihr gewohntes Verfahren (eines Mechanisms nach despotisch gegebenen Zwangsgesetzen) auch da befolgen, wo die Begriffe der Vernunft einen nur nach Freiheitsprinzipien gesetzmäßigen Zwang begründet wissen wollen, durch welchen allererst eine zu Recht beständige Staatsverfassung möglich ist; welche Aufgabe der vorgebliche Praktiker mit Vorbeigehung jener Idee empirisch, aus Erfahrung, wie die bisher noch am besten bestandene, mehrenteils aber rechtswidrige Staatsverfassungen eingerichtet waren, lösen zu können glaubt. – Die Maximen, deren er sich hiezu bedient (ob er sie zwar nicht laut werden läßt), laufen ungefähr auf folgende sophistische Maximen hinaus.

1. *Fac et excusa.* Ergreife die günstige Gelegenheit zur eigenmächtigen Besitznehmung (entweder eines Rechts des Staats über sein Volk, oder über ein anderes benachbarte); die Rechtfertigung wird sich weit leichter und zierlicher nach der Tat vortragen und die Gewalt be-

schönigen lassen (vornehmlich im ersten Fall, wo die obere Gewalt im Innern sofort auch die gesetzgebende Obrigkeit ist, der man gehorchen muß, ohne darüber zu vernünfteln), als wenn man zuvor auf überzeugende Gründe sinnen und die Gegengründe darüber noch erst abwarten wollte. Diese Dreustigkeit selbst gibt einen gewissen Anschein von innerer Überzeugung der Rechtmäßigkeit der Tat, und der Gott *bonus eventus* ist nachher der beste Rechtsvertreter.

2. *Si fecisti, nega.* Was du selbst verbrochen hast, z. B. um dein Volk zur Verzweiflung und so zum Aufruhr zu bringen, das leugne ab, daß es d e i n e Schuld sei; sondern behaupte, daß es die der Widerspenstigkeit der Untertanen, oder auch bei deiner Bemächtigung eines benachbarten Volks die Schuld der Natur des Menschen sei, der, wenn er dem andern nicht mit Gewalt zuvorkommt, sicher darauf rechnen kann, daß dieser ihm zuvorkommen und sich seiner bemächtigen werde.
3. *Divide et impera.* Das ist: sind gewisse privilegierte Häupter in deinem Volk, welche dich bloß zu ihrem Oberhaupt (*primus inter pares*) gewählt haben, so veruneinige jene untereinander und entzweie sie mit dem Volk: stehe nun dem letztern unter Vorspiegelung größerer Freiheit bei, so wird alles von deinem unbedingten Willen abhängen. Oder sind es äußere Staaten, so ist Erregung der Mißhelligkeit unter ihnen ein ziemlich sicheres Mittel, unter dem Schein des Beistandes des Schwächeren einen nach dem andern dir zu unterwerfen.

Durch diese politische Maximen wird nun zwar niemand hintergangen; denn sie sind insgesamt schon allgemein bekannt; auch ist es mit ihnen nicht der Fall, sich zu schämen, als ob die Ungerechtigkeit gar zu offenbar in die Augen leuchtete. Denn weil sich große Mächte nie vor dem Urteil des gemeinen Haufens, sondern nur eine vor der andern schämen, was aber jene Grundsätze betrifft, nicht das Offenbarwerden, sondern nur das Mißlingen derselben sie beschämt machen kann (denn in Ansehung der Moralität der Maximen kommen sie alle untereinander überein), so bleibt ihnen immer die politische Ehre übrig, auf die sie sicher rechnen können, nämlich die der Vergrößerung ihrer Macht, auf welchem Wege sie auch erworben sein mag.*

* * *

* Wenngleich eine gewisse in der menschlichen Natur gewurzelte Bösartigkeit von Menschen, die in einem Staat zusammen leben, noch bezweifelt und statt ihrer der Mangel einer noch nicht weit genug fortgeschrittenen Kultur (die Rohigkeit) zur Ursache der gesetzwidrigen Erscheinungen ihrer Denkungsart mit einigem Scheine angeführt werden möchte, so fällt sie doch im äußeren Verhältnis der Staaten gegeneinander ganz unverdeckt und unwidersprechlich in die Augen. Im Innern jedes Staats ist sie durch den Zwang der bürgerlichen Gesetze verschleiert, weil der Neigung zur wechselseitigen Gewalttätigkeit der Bürger eine größere Gewalt, nämlich die der Regierung, mächtig entgegenwirkt und so nicht allein dem Ganzen einen moralischen Anstrich (*causae non causae*) gibt, sondern auch dadurch, daß dem Ausbruch gesetzwidriger Neigungen ein Riegel vorgeschoben wird, die Entwickelung der moralischen Anlage zur unmittelbaren Achtung fürs Recht wirklich viel Erleichterung bekommt. – Denn ein jeder glaubt nun von sich, daß er wohl den Rechtsbegriff heilig halten und treu befolgen würde, wenn er sich nur von jedem andern eines Gleichen gewärtigen könnte, welches letztere ihm die Regierung zum Teil

Aus allen diesen Schlangenwendungen einer unmoralischen Klugheitslehre, den Friedenszustand unter Menschen aus dem kriegerischen des Naturzustandes herauszubringen, erhellt wenigstens so viel: daß die Menschen ebenso wenig in ihren Privatverhältnissen, als in ihren öffentlichen dem Rechtsbegriff entgehen können und sich nicht getrauen, die Politik öffentlich bloß auf Handgriffe der Klugheit zu gründen, mithin dem Begriffe eines öffentlichen Rechts allen Gehorsam aufzukündigen (welches vornehmlich in dem des Völkerrechts auffallend ist), sondern ihm an sich alle gebührende Ehre widerfahren lassen, wenn sie auch hundert Ausflüchte und Bemäntelungen aussinnen sollten, um ihm in der Praxis auszuweichen und der verschmitzten Gewalt die Autorität anzudichten, der Ursprung und der Verband alles Rechts zu sein. – Um diese Sophisterei (wenngleich nicht der durch sie beschönigten Ungerechtigkeit) ein Ende zu machen und die falsche *Vertreter* der Mächtigen der Erde zum Geständnisse zu brin-

sichert; wodurch dann ein großer Schritt zur Moralität (obgleich noch nicht moralischer Schritt) getan wird, diesem Pflichtbegriff auch um sein selbst willen, ohne Rücksicht auf Erwiderung, anhänglich zu sein. – Da ein jeder aber bei seiner guten Meinung von sich selber doch die böse Gesinnung bei allen anderen voraussetzt, so sprechen sie einander wechselseitig ihr Urteil: daß sie alle, was das *Faktum* betrifft, wenig taugen (woher es komme, da es doch der *Natur* des Menschen, als eines freien Wesens, nicht Schuld gegeben werden kann, mag unerörtert bleiben). Da aber doch auch die Achtung für den Rechtsbegriff, deren der Mensch sich schlechterdings nicht entschlagen kann, die Theorie des Vermögens, ihm angemessen zu werden, auf das feierlichste sanktioniert, so sieht ein jeder, daß er seinerseits jenem gemäß handeln müsse, andere mögen es halten, wie sie wollen.

gen, daß es nicht das Recht, sondern die Gewalt sei, der sie zum Vorteil sprechen, von welcher sie, gleich als ob sie selbst hiebei was zu befehlen hätten, den Ton annehmen, wird es gut sein, das Blendwerk aufzudecken, womit man sich und andere hintergeht, das oberste Prinzip, von dem die Absicht auf den ewigen Frieden ausgeht, ausfindig zu machen und zu zeigen: daß alles das Böse, was ihm im Wege ist, davon herrühre: daß der politische Moralist da anfängt, wo der moralische Politiker billigerweise endigt, und, indem er so die Grundsätze dem Zweck unterordnet (d. i. die Pferde hinter den Wagen spannt), seine eigene Absicht vereitelt, die Politik mit der Moral in Einverständnis zu bringen.

Um die praktische Philosophie mit sich selbst einig zu machen, ist nötig, zuvörderst die Frage zu entscheiden: ob in Aufgaben der praktischen Vernunft vom *materialen Prinzip* derselben, dem *Zweck* (als Gegenstand der Willkür), der Anfang gemacht werden müsse, oder vom *formalen*, d. i. demjenigen (bloß auf Freiheit im äußern Verhältnis gestellten), darnach es heißt: handle so, daß du wollen kannst, deine Maxime solle ein allgemeines Gesetz werden (der Zweck mag sein, welcher er wolle).

Ohne alle Zweifel muß das letztere Prinzip vorangehen: denn es hat als Rechtsprinzip unbedingte Notwendigkeit, statt dessen das erstere nur unter Voraussetzung empirischer Bedingungen des vorgesetzten Zwecks, nämlich der Ausführung desselben, nötigend ist, und wenn dieser Zweck (z. B. der ewige Friede) auch Pflicht wäre, so müßte doch diese selbst aus dem formalen Prinzip der Maximen, äußerlich zu handeln, abgeleitet worden sein. – Nun ist das erstere Prinzip, das des *politischen Moralisten* (das

Problem des Staats-, Völker- und Weltbürgerrechts), eine bloße Kunstaufgabe (*problema technicum*), das zweite dagegen, als Prinzip des moralischen Politikers, welchem es eine sittliche Aufgabe (*problema morale*) ist, im Verfahren von dem anderen himmelweit unterschieden, um den ewigen Frieden, den man nun nicht bloß als physisches Gut, sondern auch als einen aus Pflichtanerkennung hervorgehenden Zustand wünscht, herbeizuführen.

Zur Auflösung des ersten, nämlich des Staats-Klugheitsproblems, wird viel Kenntnis der Natur erfordert, um ihren Mechanism zu dem gedachten Zweck zu benutzen, und doch ist alle diese ungewiß in Ansehung ihres Resultats, den ewigen Frieden betreffend; man mag nun die eine oder die andere der drei Abteilungen des öffentlichen Rechts nehmen. Ob das Volk im Gehorsam und zugleich im Flor besser durch Strenge, oder Lockspeise der Eitelkeit, ob durch Obergewalt eines einzigen, oder durch Vereinigung mehrerer Häupter, vielleicht auch bloß durch einen Dienstadel, oder durch Volksgewalt im Innern und zwar auf lange Zeit gehalten werden könne, ist ungewiß. Man hat von allen Regierungsarten (die einzige echt-republikanische, die aber nur einem moralischen Politiker in den Sinn kommen kann, ausgenommen) Beispiele des Gegenteils in der Geschichte. – Noch ungewisser ist ein auf Statute nach Ministerialplanen vorgeblich errichtetes Völkerrecht, welches in der Tat nur ein Wort ohne Sache ist und auf Verträgen beruht, die in demselben Akt ihrer Beschließung zugleich den geheimen Vorbehalt ihrer Übertretung enthalten. – Dagegen dringt sich die Auflösung des zweiten, nämlich des Staatsweisheitsproblems, sozusagen von selbst auf, ist jedermann einleuchtend und macht alle Künstelei zu Schanden, führt dabei gerade zum Zweck; doch mit der Erinnerung der Klugheit, ihn nicht übereilterweise mit Gewalt herbeizuziehen, sondern sich ihm nach Beschaffenheit der günstigen Umstände unablässig zu nähern.

Da heißt es denn: »Trachtet allererst nach dem Reiche der reinen praktischen Vernunft und nach seiner G e r e c h t i g k e i t, so wird euch euer Zweck (die Wohltat des ewigen Friedens) von selbst zufallen.« Denn das hat die Moral Eigentümliches an sich und zwar in Ansehung ihrer Grundsätze des öffentlichen Rechts (mithin in Beziehung auf eine a priori erkennbare Politik), daß, je weniger sie das Verhalten von dem vorgesetzten Zweck, dem beabsichtigten, es sei physischem oder sittlichem, Vorteil, abhängig macht, desto mehr sie dennoch zu diesem im allgemeinen zusammenstimmt; welches daher kommt, weil es gerade der a priori gegebene allgemeine Wille (in einem Volk, oder im Verhältnis verschiedener Völker untereinander) ist, der allein, was unter Menschen Rechtens ist, bestimmt; diese Vereinigung des Willens aller aber, wenn nur in der Ausübung konsequent verfahren wird, auch nach dem Mechanism der Natur zugleich die Ursache sein kann, die abgezweckte Wirkung hervorzubringen und dem Rechtsbegriffe Effekt zu verschaffen. – So ist es z. B. ein Grundsatz der moralischen Politik: daß sich ein Volk zu einem Staat nach den alleinigen Rechtsbegriffen der Freiheit und Gleichheit vereinigen solle, und dieses Prinzip ist nicht auf Klugheit, sondern auf Pflicht gegründet. Nun mögen dagegen politische Moralisten noch so viel über den Naturmechanism einer in Gesellschaft tretenden Menschenmenge, welcher jene Grundsätze entkräftete und ihre Absicht vereiteln werde, vernünfteln, oder auch durch Beispiele schlecht organisierter Verfassungen alter und neuer Zeiten (z.B. von Demokratien ohne Repräsentationssystem) ihre Behauptung dagegen zu beweisen suchen, so verdienen sie kein Gehör; vornehmlich da eine solche verderbliche Theorie das Übel wohl gar selbst bewirkt, was sie vorhersagt, nach welcher der Mensch mit den übrigen lebenden Maschinen in eine Klasse geworfen wird, denen nur noch das Bewußtsein, daß sie nicht freie Wesen sind, beiwohnen dürfte, um sie in ihrem eigenen Urteil zu den elendesten unter allen Weltwesen zu machen.

Der zwar etwas renommistisch klingende, sprüchwörtlich in Umlauf gekommene, aber wahre Satz: *fiat iustitia, pereat mundus*, das heißt zu deutsch: »Es herrsche Gerechtigkeit, die Schelme in der Welt mögen auch insgesamt darüber zugrunde gehen«, ist ein wackerer, alle durch Arglist oder Gewalt vorgezeichnete krumme Wege abschneidender Rechtsgrundsatz; nur daß er nicht mißverstanden und etwa als Erlaubnis, sein eigenes Recht mit der größten Strenge zu benutzen (welches der ethischen Pflicht widerstreiten würde), sondern als Verbindlichkeit der Machthabenden, niemanden sein Recht aus Ungunst oder Mitleiden gegen andere zu weigern oder zu schmälern, verstanden wird; wozu vorzüglich eine nach reinen Rechtsprinzipien eingerichtete innere Verfassung des Staats, dann aber auch die der Vereinigung desselben mit andern benachbarten oder auch entfernten Staaten zu einer (einem allgemeinen Staat analogischen) gesetzlichen Ausgleichung ihrer Streitigkeiten erfordert wird. – Dieser Satz will nichts anders sagen als: die politische Maximen müssen nicht von der aus ihrer Befolgung zu erwartenden Wohlfahrt und Glückseligkeit eines jeden Staats, also nicht vom Zweck, den sich ein jeder derselben zum Gegenstande macht, (vom Wollen) als dem obersten (aber empirischen) Prinzip der Staatsweisheit, sondern von dem reinen Begriff der Rechtspflicht (vom Sollen, dessen Prinzip a priori durch reine Vernunft gegeben ist) ausgehen, die physische Folgen daraus mögen auch sein, welche sie wollen. Die Welt wird keinesweges dadurch untergehen, daß der bösen Menschen weniger wird. Das moralisch Böse hat die von seiner Natur unabtrennliche Eigenschaft, daß es in seinen Absichten (vornehmlich in Verhältnis gegen andere Gleichgesinnte) sich selbst zuwider und zerstörend ist und so dem (moralischen) Prinzip des Guten, wenngleich durch langsame Fortschritte, Platz macht.

* * *

Es gibt also objektiv (in der Theorie) gar keinen Streit zwischen der Moral und der Politik. Dagegen subjektiv (in dem selbstsüchtigen Hange der Menschen, der aber, weil er nicht auf Vernunftmaximen gegründet ist, noch nicht Praxis genannt werden muß) wird und mag er immer bleiben, weil er zum Wetzstein der Tugend dient, deren wahrer Mut (nach dem Grundsatze: *tu ne cede malis, sed contra audentior ito*) in gegenwärtigem Falle nicht sowohl darin besteht, den Übeln und Aufopferungen mit festem Vorsatz sich entgegenzusetzen, welche hiebei übernommen werden müssen, sondern dem weit gefährlichern lügenhaften und verräterischen, aber doch vernünftelnden, die Schwäche der menschlichen Natur zur Rechtfertigung aller Übertretung vorspiegelnden bösen Prinzip in uns selbst in die Augen zu sehen und seine Arglist zu besiegen.

In der Tat kann der politische Moralist sagen: Regent und Volk, oder Volk und Volk tun einander nicht Unrecht, wenn sie einander gewalttätig oder hinterlistig befehden, ob sie zwar überhaupt darin Unrecht tun, daß sie dem Rechtsbegriffe, der allein den Frieden auf ewig begründen könnte, alle Achtung versagen. Denn weil der eine seine Pflicht gegen den andern übertritt, der gerade ebenso rechtswidrig gegen jenen gesinnt ist, so geschieht ihnen beiderseits ganz recht, wenn sie sich untereinander aufreiben, doch so, daß von dieser Rasse immer noch genug übrig bleibt, um dieses Spiel bis zu den entferntesten Zeiten nicht aufhören zu lassen, damit eine späte Nachkommenschaft an ihnen dereinst ein warnendes Beispiel nehme. Die Vorsehung im Laufe der Welt ist hiebei gerechtfertigt; denn das moralische Prinzip im Menschen erlöscht nie, die pragmatisch zur Ausführung der rechtlichen Ideen nach jenem Prinzip tüchtige Vernunft wächst noch dazu beständig durch immer fortschreitende Kultur, mit ihr aber auch die Schuld jener Übertretungen. Die Schöpfung allein: daß nämlich ein solcher Schlag von verderbten Wesen überhaupt hat auf Erden sein sollen, scheint durch keine Theodizee gerechtfertigt werden zu können (wenn wir annehmen, daß es mit dem Menschengeschlechte nie besser bestellt sein werde noch könne); aber dieser Standpunkt der Beurteilung ist für uns viel zu hoch, als daß wir unsere Begriffe (von Weisheit) der obersten, uns unerforschlichen Macht in theoretischer Absicht unterlegen könnten. – Zu solchen verzweifelten Folgerungen werden wir unvermeidlich hingetrieben, wenn wir nicht annehmen, die reine Rechtsprinzipien haben objektive Realität, d.i. sie lassen sich ausführen; und darnach müsse auch von seiten des

Volks im Staate und weiterhin von seiten der Staaten gegeneinander gehandelt werden; die empirische Politik mag auch dagegen einwenden, was sie wolle. Die wahre Politik kann also keinen Schritt tun, ohne vorher der Moral gehuldigt zu haben, und obzwar Politik für sich selbst eine schwere Kunst ist, so ist doch Vereinigung derselben mit der Moral gar keine Kunst; denn diese haut den Knoten entzwei, den jene nicht aufzulösen vermag, sobald beide einander widerstreiten. – Das Recht der Menschen muß heilig gehalten werden, der herrschenden Gewalt mag es auch noch so große Aufopferung kosten. Man kann hier nicht halbieren und das Mittelding eines pragmatisch-bedingten Rechts (zwischen Recht und Nutzen) aussinnen, sondern alle Politik muß ihre Knie vor dem erstern beugen, kann aber dafür hoffen, obzwar langsam, zu der Stufe zu gelangen, wo sie beharrlich glänzen wird.

II.

Von der Einhelligkeit der Politik mit der Moral nach dem transzendentalen Begriffe des öffentlichen Rechts

Wenn ich von aller *Materie* des öffentlichen Rechts (nach den verschiedenen empirisch-gegebenen Verhältnissen der Menschen im Staat oder auch der Staaten untereinander), so wie es sich die Rechtslehrer gewöhnlich denken, abstrahiere, so bleibt mir noch die *Form der Publizität* übrig, deren Möglichkeit ein jeder Rechtsanspruch in sich enthält, weil ohne jene es keine Gerechtigkeit (die nur als *öffentlich kundbar* gedacht werden kann), mithin auch kein Recht, das nur von ihr erteilt wird, geben würde.

Diese Fähigkeit der Publizität muß jeder Rechtsanspruch haben, und sie kann also, da es sich ganz leicht beurteilen läßt, ob sie in einem vorkommenden Falle stattfinde, d.i. ob sie sich mit den Grundsätzen des Handelnden vereinigen lasse oder nicht, ein leicht zu brauchendes, a priori in der Vernunft anzutreffendes Kriterium abgeben, im letzteren Fall die Falschheit (Rechtswidrigkeit) des gedachten Anspruchs (*praetensio iuris*) gleichsam durch ein Experiment der reinen Vernunft sofort zu erkennen.

Nach einer solchen Abstraktion von allem Empirischen, was der Begriff des Staats- und Völkerrechts enthält (dergleichen das Bösartige der menschlichen Natur ist, welches den Zwang notwendig macht), kann man folgenden Satz die transzendentale Formel des öffentlichen Rechts nennen:

»Alle auf das Recht anderer Menschen bezogene Handlungen, deren Maxime sich nicht mit der Publizität verträgt, sind unrecht.«

Dieses Prinzip ist nicht bloß als ethisch (zur Tugendlehre gehörig), sondern auch als juridisch (das Recht der Menschen angehend) zu betrachten. Denn eine Maxime, die ich nicht darf lautwerden lassen, ohne dadurch meine eigene Absicht zugleich zu vereiteln, die durchaus verheimlicht werden muß, wenn sie gelingen soll, und zu der ich mich nicht öffentlich bekennen kann, ohne daß dadurch unausbleiblich der Widerstand aller gegen meinen Vorsatz gereizt werde, kann diese notwendige und allgemeine, mithin a priori einzusehende Gegenbearbeitung aller gegen mich nirgend wovon anders, als von der Ungerechtigkeit her haben, womit sie jedermann bedroht. – Es ist ferner bloß negativ, d.i. es dient nur, um vermittelst desselben, was gegen andere nicht recht ist, zu erkennen. – Es ist gleich einem Axiom unerweislich-gewiß und überdem leicht anzuwenden, wie aus folgenden Beispielen des öffentlichen Rechts zu ersehen ist.

1. Was das Staatsrecht (*ius civitatis*), nämlich das innere, betrifft: so kommt in ihm die Frage vor, welche viele für schwer zu beantworten halten, und die das transzendentale Prinzip der Publizität ganz leicht auflöset: »Ist Aufruhr ein rechtmäßiges Mittel für ein Volk, die drückende Gewalt eines sogenannten Tyrannen (*non titulo, sed exercitio talis*) abzuwerfen?« Die Rechte des Volks sind gekränkt, und ihm (dem Tyrannen) geschieht kein Unrecht durch die Entthronung; daran ist kein Zweifel. Nichtsdestoweniger ist es doch von den Untertanen im höchsten Grade unrecht, auf diese Art ihr Recht zu suchen, und sie können ebenso wenig über Ungerechtigkeit klagen, wenn sie in diesem Streit unterlägen und nachher deshalb die härteste Strafe ausstehen müßten.

   Hier kann nun vieles für und dawider vernünftelt werden, wenn man es durch eine dogmatische Deduktion der Rechtsgründe ausmachen will; allein das transzendentale Prinzip der Publizität des öffentlichen Rechts kann sich diese Weitläuftigkeit ersparen. Nach demselben frägt sich vor Errichtung des bürgerlichen Vertrags das Volk selbst, ob es sich wohl getraue, die Maxime des Vorsatzes einer gelegentlichen Empörung öffentlich bekannt zu machen. Man sieht leicht ein, daß, wenn man es bei der Stiftung einer Staatsverfassung zur Bedingung machen wollte, in gewissen vorkommenden Fällen gegen das Oberhaupt Gewalt auszuüben, so müßte das Volk sich einer rechtmäßigen Macht über jenes anmaßen. Alsdann wäre jenes aber nicht das Oberhaupt, oder, wenn beides zur Bedingung der Staatserrichtung gemacht würde, so würde gar keine möglich sein, welches doch die Absicht des Volks war. Das Unrecht des Aufruhrs leuchtet also dadurch ein, daß die Maxime desselben dadurch, daß man sich *öffentlich dazu bekennte*, seine eigene Absicht unmöglich machen würde. Man müßte sie also notwendig verheimlichen. – Das letztere wäre aber von seiten des Staatsoberhaupts eben nicht notwendig. Er kann frei heraus sagen, daß er jeden Aufruhr mit dem Tode der Rädelsführer bestrafen werde, diese mögen auch immer glauben, er habe seinerseits das Fundamentalgesetz zuerst übertreten; denn wenn er sich bewußt ist, die *unwiderstehliche* Obergewalt zu besitzen (welches auch in jeder bürgerlichen Verfassung so angenommen werden muß, weil der, welcher nicht Macht genug hat, einen jeden im Volk gegen den andern zu schützen, auch nicht das Recht hat, ihm zu befehlen), so darf er nicht sorgen, durch die Bekanntwerdung seiner Maxime seine eigene Absicht zu vereiteln, womit auch ganz wohl zusammenhängt, daß, wenn der Aufruhr dem Volk gelänge, jenes Oberhaupt in die Stelle des Untertans zurücktreten, eben sowohl keinen Wiedererlangungsaufruhr beginnen, aber auch nicht zu befürchten haben müßte, wegen seiner vormaligen Staatsführung zur Rechenschaft gezogen zu werden.

2. *Was das Völkerrecht betrifft*. – Nur unter Vor-

aussetzung irgend eines rechtlichen Zustandes (d. i. derjenigen äußeren Bedingung, unter der dem Menschen ein Recht wirklich zuteil werden kann) kann von einem Völkerrecht die Rede sein: weil es als ein öffentliches Recht die Publikation eines jedem das Seine bestimmenden allgemeinen Willens schon in seinem Begriffe enthält, und dieser status iuridicus muß aus irgend einem Vertrage hervorgehen, der nicht eben (gleich dem, woraus ein Staat entspringt) auf Zwangsgesetze gegründet sein darf, sondern allenfalls auch der einer *fortwährend-freien* Assoziation sein kann, wie der oben erwähnte der Föderalität verschiedener Staaten. Denn ohne irgend einen *rechtlichen Zustand*, der die verschiedene (physische oder moralische) Personen tätig verknüpft, mithin im Naturstande, kann es kein anderes als bloß ein Privatrecht geben. – Hier tritt nun auch ein Streit der Politik mit der Moral (diese als Rechtslehre betrachtet) ein, wo dann jenes Kriterium der Publizität der Maximen gleichfalls seine leichte Anwendung findet, doch nur so: daß der Vertrag die Staaten nur in der Absicht verbindet, untereinander und zusammen gegen andere Staaten sich im Frieden zu erhalten, keinesweges aber um Erwerbungen zu machen. – Da treten nun folgende Fälle der Antinomie zwischen Politik und Moral ein, womit zugleich die Lösung derselben verbunden wird.

a) »Wenn einer dieser Staaten dem andern etwas versprochen hat: es sei Hülfleistung, oder Abtretung gewisser Länder, oder Subsidien u. dgl., frägt sich, ob er sich in einem Fall, an dem des Staats Heil hängt, vom Worthalten dadurch losmachen kann, daß er sich in einer doppelten Person betrachtet wissen will, erstlich als Souverän, da er niemanden in seinem Staat verantwortlich ist; dann aber wiederum bloß als oberster Staatsbeamte, der dem Staat Rechenschaft geben müsse: da denn der Schluß dahin ausfällt, daß, wozu er sich in der ersteren Qualität verbindlich gemacht hat, davon werde er in der zweiten losgesprochen.« – Wenn nun aber ein Staat (oder dessen Oberhaupt) diese seine Maxime laut werden ließe, so würde natürlicherweise entweder ein jeder andere ihn fliehen, oder sich mit anderen vereinigen, um seinen Anmaßungen zu widerstehen, welches beweiset, daß Politik mit aller ihrer Schlauigkeit auf diesen Fuß (der Offenheit) ihren Zweck selber vereiteln, mithin jene Maxime unrecht sein müsse.

b) »Wenn eine bis zur furchtbaren Größe (*potentia tremenda*) angewachsene benachbarte Macht Besorgnis erregt: kann man annehmen, sie werde, weil sie kann, auch unterdrücken wollen, und gibt das den Mindermächtigen ein Recht zum (vereinigten) Angriffe derselben, auch ohne vorhergegangene Beleidigung?« – Ein Staat, der seine Maxime hier bejahend verlautbaren wollte, würde das Übel nur noch gewisser und schneller herbeiführen. Denn die größere Macht würde den kleineren zuvorkommen, und was die Vereinigung der letzteren betrifft, so ist das nur ein schwacher Rohrstab gegen den, der das *divide et impera* zu benutzen weiß. – Diese Maxime der Staatsklugheit, öffentlich erklärt, vereitelt also notwendig ihre eigene Absicht und ist folglich ungerecht.

c) »Wenn ein kleinerer Staat durch seine Lage den Zusammenhang eines größeren trennt, der diesem doch zu seiner Erhaltung nötig ist, ist dieser nicht berechtigt, jenen sich zu unterwerfen und mit dem seinigen zu vereinigen?« – Man sieht leicht, daß der größere eine solche Maxime ja nicht vorher müsse laut werden lassen; denn entweder, die kleinern Staaten würden sich frühzeitig vereinigen, oder andere Mächtige würden um diese Beute streiten, mithin macht sie sich durch ihre Offenheit selbst untunlich; ein Zeichen, daß sie ungerecht ist und es auch in sehr hohem Grade sein kann; denn ein kleines Objekt der Ungerechtigkeit hindert nicht, daß die daran bewiesene Ungerechtigkeit sehr groß sei.

3. Was das Weltbürgerrecht betrifft, so übergehe ich es hier mit Stillschweigen: weil wegen der Analogie desselben mit dem Völkerrecht die Maximen desselben leicht anzugeben und zu würdigen sind.

* * *

Man hat hier nun zwar an dem Prinzip der Unverträglichkeit der Maximen des Völkerrechts mit der Publizität ein gutes Kennzeichen der Nichtübereinstimmung der Politik mit der Moral (als Rechtslehre). Nun bedarf man aber auch belehrt zu werden, welches denn die Bedingung ist, unter der ihre Maximen mit dem Recht der Völker übereinstimmen. Denn es läßt sich nicht umgekehrt schließen: daß, welche Maximen die Publizität vertragen, dieselbe darum auch gerecht sind, weil, wer die entschiedene Obermacht hat, seiner Maximen nicht Hehl haben darf. – Die Bedingung der Möglichkeit eines Völkerrechts überhaupt ist: daß zuvörderst ein rechtlicher Zustand existiere. Denn ohne diesen gibt's kein öffentliches Recht, sondern alles Recht, was man sich außer demselben denken mag (im Naturzustande) ist bloß Privatrecht. Nun haben wir oben gesehen: daß ein föderativer Zustand der Staaten, welcher bloß die Entfernung des Krieges zur Absicht hat, der einzige mit der Freiheit derselben vereinbare rechtliche Zustand sei. Also ist die Zusammenstimmung der Politik mit der Moral nur in einem föderativen Verein (der also nach Rechtsprinzipien a priori gegeben und notwendig ist) möglich, und alle Staatsklugheit hat zur rechtlichen Basis die Stiftung des ersteren in ihrem größt-möglichen Umfange, ohne welchen Zweck alle ihre Klügelei Unweisheit und verschleierte Ungerechtigkeit ist. – Diese Afterpolitik hat nun ihre Kasuistik trotz der besten Jesuiterschule – die reservatio mentalis: in Abfassung öffentlicher Verträge mit solchen Ausdrücken, die man gelegentlich zu seinem Vorteil auslegen kann, wie man will (z. B. den Unterschied des *status quo de fait* und *de droit*); – den *Probabilismus*: böse Absichten an anderen zu erklügeln, oder auch Wahrscheinlichkeiten ihres möglichen Übergewichts zum Rechtsgrunde der Untergrabung anderer, friedlicher Staaten zu machen; – endlich das *peccatum philosophicum* (*peccatillum, bagatelle*): das Verschlingen eines kleinen Staats, wenn dadurch ein viel größerer zum vermeintlich größern Weltbesten gewinnt, für eine leicht-verzeihliche Kleinigkeit zu halten.*

* Die Belege zu solchen Maximen kann man in des Herrn Hofr. Garve Abhandlung: »Über die Verbindung der Moral mit der Politik, 1788«, antreffen. Dieser würdige Gelehrte gesteht gleich zu Anfange, eine genugtuende Antwort auf diese Frage nicht geben zu können. Aber sie dennoch gutzuheißen, obzwar mit dem Geständnis, die dagegen sich regende Einwürfe nicht völlig heben zu können,

Den Vorschub hiezu gibt die Zweizüngigkeit der Politik in Ansehung der Moral, einen oder den andern Zweig derselben zu ihrer Absicht zu benutzen. – Beides, die Menschenliebe und die Achtung fürs *Recht* der Menschen, ist Pflicht; jene aber nur *bedingte*, diese dagegen *unbedingte*, schlechthin gebietende Pflicht, welche nicht übertreten zu haben derjenige zuerst völlig versichert sein muß, der sich dem süßen Gefühl des Wohltuns überlassen will. Mit der Moral im ersteren Sinne (als Ethik) ist die Politik leicht einverstanden, um das Recht der Menschen ihren Oberen preiszugeben: aber mit der in der zweiten Bedeutung (als Rechtslehre), vor der sie ihre Knie beugen müßte, findet sie es ratsam, sich gar nicht auf Vertrag einzulassen, ihr lieber alle Realität abzustreiten und alle Pflichten auf lauter Wohlwollen auszudeuten; welche Hinterlist einer lichtscheuen Politik doch von der Philosophie durch die Publizität jener ihrer Maximen leicht vereitelt werden würde, wenn jene es nur wagen wollte, dem Philosophen die Publizität der seinigen angedeihen zu lassen.

In dieser Absicht schlage ich ein anderes, transzendentales und bejahendes Prinzip des öffentlichen Rechts vor, dessen Formel diese sein würde:

»Alle Maximen, die der Publizität *bedürfen* (um ihren Zweck nicht zu verfehlen), stimmen mit Recht und Politik vereinigt zusammen.«

scheint doch eine größere Nachgiebigkeit gegen die zu sein, die sehr geneigt sind, sie zu mißbrauchen, als wohl ratsam sein möchte, einzuräumen.

Denn wenn sie nur durch die Publizität ihren Zweck erreichen können, so müssen sie dem allgemeinen Zweck des Publikums (der Glückseligkeit) gemäß sein, womit zusammen zu stimmen (es mit seinem Zustande zufrieden zu machen), die eigentliche Aufgabe der Politik ist. Wenn aber dieser Zweck *nur* durch die Publizität, d. i. durch die Entfernung alles Mißtrauens gegen die Maximen derselben, erreichbar sein soll, so müssen diese auch mit dem Recht des Publikums in Eintracht stehen; denn in diesem allein ist die Vereinigung der Zwecke aller möglich. – Die weitere Ausführung und Erörterung dieses Prinzips muß ich für eine andere Gelegenheit aussetzen; nur daß es eine transzendentale Formel sei, ist aus der Entfernung aller empirischen Bedingungen (der Glückseligkeitslehre), als der Materie des Gesetzes, und der bloßen Rücksicht auf die Form der allgemeinen Gesetzmäßigkeit zu ersehen.

* * *

Wenn es Pflicht, wenn zugleich gegründete Hoffnung da ist, den Zustand eines öffentlichen Rechts, obgleich nur in einer ins Unendliche fortschreitenden Annäherung wirklich zu machen, so ist der *ewige Friede*, der auf die bisher fälschlich sogenannte Friedensschlüsse (eigentlich Waffenstillstände) folgt, keine leere Idee, sondern eine Aufgabe, die, nach und nach aufgelöst, ihrem Ziele (weil die Zeiten, in denen gleiche Fortschritte geschehen, hoffentlich immer kürzer werden) beständig näher kommt.

Anmerkungen

5,19 *Clausula salvatoria*: salvatorische Klausel – vor fremden (Ersatz-) Ansprüchen bewahrende Klausel.
6,3 *Hostilitäten*: Feindseligkeiten.
6,4 *Pleonasm*: Pleonasmus, Verstärkung des Gesagten (»kaltes Eis«).
6,5 *Paziszirenden*: Friedenschließenden.
6,11 *Prätensionen*: Vorwände.
6,14 f. *Jesuitenkasuistik*: hier: Spitzfindigkeit.
7,3 *Pfropfreis*: etwa ein künstlich eingesetzter Zweig von einem anderen Baum (zur Veredelung).
8,22 *Zum Behuf*: zum Zweck.
9,6 *Taxen*: Steuern.
9,12 f. *ein Präliminarartikel*: ein vorläufiger Artikel.
9,16 *Läsion*: eine Verletzung, hier besonders eine Rechtsverletzung.
10,12 *Stratagemen*: Stratagem: das geschickte Ausnutzen einer (oft militärischen) Lage.
12,3 f. *ad calendas graecas*: wörtl. »bis zu den griechischen Kalenden«. Die Kalenden zur Bezeichnung des Monatsersten waren eine genuin römische Datumsangabe, die die Griechen nicht kannten – hier also in der Bedeutung von: bis zum St.-Nimmerleins-Tag.
12,10 *putativen*: vermeintlichen.
13,28 *Probierstein*: eigtl. ein Reibestein, um die Reinheit von Edelmetallen zu überprüfen; hier: eine Möglichkeit zur Probe.
13,30 *ius certum*: unverbrüchliches und eindeutiges Recht.
14,10 *lädiert*: beschädigt.
16,17 *einen großen Äon*: hier: eine Ewigkeit.
17,26 f. *Magistratur*: hier: Verwaltung.
19,12 *Subsumtion*: Unterordnung.
19,22 *Verwesers*: Stellvertreters, Aufsehers.
20,28 f. *Domitian ... Commodus:* römische Kaiser mit z. T. schlechtem Ruf. Domitian und Commodus galten schon früh als Tyrannen.
21,4 *Despotism*: Despotismus: Herrschaftsform mir einem alleinigen Gewaltherrscher mit unumschränkter Macht.

21,7 *Föderalism*: Föderalismus, ein Staatenbund.

23,3 *Hugo Grotius, Pufendorf, Vattel*: berühmte Rechtsgelehrte und Rechtsphilosophen.

23,4 *Kodex*: zusammengebundener Stapel von Blättern, hier: Sammlung, Regelwerk.

25,17 *Surrogat*: Ersatz.

26,9 f. *in thesi*: als These.

26,10 *in hypothesi*: als Hypothese.

26,16 f. *Furor ... Virgil*: »Eingesperrt ist die böse Wut ... und brüllt grauenerregend mit blutigem Maul.« Zusammengetragen aus Vergil, *Aeneis* I, 294–296: »die grausigen Pforten des Krieges sollen dann mit Klammern aus Eisen dicht verschlossen werden, der frevlerische Furor, drinnen auf grausamen Waffen sitzend und auf dem Rücken mit hundert ehernen Knoten gefesselt, wird grauenerregend brüllen mit blutigem Maul.« (Zit. nach P. Vergilius Maro: *Aeneis*, lateinisch/deutsch, übersetzt und herausgegeben von Edith und Gerhard Binder, Stuttgart [2]2022, S. 27).

27,4 f. *Philanthropie*: Freundlichkeit gegenüber den Menschen, Menschenliebe.

29,32 *benedictus*: eigtl.: gesegnet, gepriesen.

30,27 *Epopten*: die zur Erkennung der tiefsten Geheimnisse Zugelassenen.

31,24 *prädeterminierenden*: im Voraus festlegenden.

32,7 f. *providentia conditrix; semel iussit, semper parent, Augustin*: »die Gründerin Vorsehung; ein einziges Mal hat sie Weisungen erteilt, immer gehorchen sie [die Menschen]«. Das Zitat ist nicht von Augustinus, sondern leicht abgewandelt von Seneca aus dessen *Providencia* V. 8: »*ille ipse omnium conditor et rector scripsit quidem fata, sed sequitur; semper paret, semel iussit*« (»Der Gründer und Lenker des Universums hat selbst das Schicksal fortgeschrieben, denn er selbst folgt; immer gehorcht er, was er einmal befohlen hat«, zit. nach Hespe 2008, S. 194.)

32,10 *gubernatrix*: Steuerfrau.

32,13 *directrix*: Lenkerin.

32,14 f. *directio extraordinaria*: außerordentliche Lenkung.

33,7 *temperierten*: hier: wärmeren.

33,9 *teleologische*: auf ein Ziel ausgerichtete.

33,14 *gryphes iungere equis*: wörtl. »Greifen mit Pferden zusammenspannen«.

33,20 *causa solitaria non iuvat*: »eine alleinstehende Ursache ist nicht hilfreich«.

33,33 *des göttlichen concursus:* des göttlichen Wirkens.

34,17 *ikarische Flügel*: Ikarus versuchte der griechischen Sage nach, mit Flügeln aus Wachs und Federn zu fliegen, kam dabei jedoch der Sonne zu nahe und stürzte ab.

39,2 f. *fata … trahunt*: »Den Bereitwilligen leitet das Schicksal, den Widerspenstigen schleift es«, ein leicht abgewandeltes Zitat aus Senecas *Epistulae morales* 107,11 (vgl. Hespe 2018, S. 196).

39,17 *sublimer*: feinsinniger.

44,21 *vae victis*: »Wehe den Besiegten«.

47,11 f. *ultra posse nemo obligatur*: »über sein Vermögen [i. S. v. Können] hinaus kann man niemanden verpflichten.«

48,24 *distributive*: verteilende, aufteilende.

53,26 *Fac et excusa*: »Handle und rechtfertige dich (dann erst).«

54,6 *Dreustigkeit:* Dreistigkeit.

54,8 *bonus eventus*: günstiger Ausgang, gutes Ergebnis.

54,10 *Si fecisti, nega*: »Wenn du es (auch) getan hast – leugne es!«

54,19 *Divide et impera*: »Teile und herrsche« (im Sinne von: Zerschlage Strukturen, um dann jeweils schwächere, kleinere Gegner zu haben und leichter über diese herrschen zu können).

54,21 *primus inter pares*: »Erster unter Gleichen«.

55,25 f. *causae non causae*: »Die Ursachen [sind] nicht die Ursachen.«

56,16 *Sophisterei*: hier: scharfsinnige Scheinheiligkeit.

56,23 f. *deren der Mensch sich schlechterdings nicht entschlagen kann*: von dem der Mensch unter keinen Umständen ablassen kann.

57,21 f. *deine Maxime solle ein allgemeines Gesetz werden*: Kants kategorischer Imperativ ähnlich den Formulierungen in seiner *Grundlegung zur Metaphysik der Sitten* von 1785.

60,12 f. *fiat iustitia, pereat mundus*: wörtl.: »Es herrsche Gerechtigkeit, und wenn die Welt dabei zugrundegeht!« (Wahlspruch Ferdinands I.)

61,21 f. *tu ne … ito*: »Du aber weiche dem Übel nicht, sondern tritt ihm mutiger entgegen.« (Zit. nach Vergil, *Aeneis*, 6, 94, a. a. O., S. 292 f.)

62,21 f. *Theodizee*: wörtl.: »Rechtfertigung Gottes« (genauer in Bezug auf das Leid in der Welt).

65,12 f. *non titulo, sed exercitio talis*: »nicht durch die (bloße) Bezeichnung, sondern durch seine Herrschaftsausübung«.

65,23 *Deduktion*: Ableitung.

67,7 *status iuridicus*: rechtlicher Zustand.

67,29 *Subsidien*: Hilfen, Reserven.

68,26 *divide et impera*: »teile und herrsche«.

69,8 *untunlich*: hier: undurchführbar.

69,26 *nicht Hehl haben darf*: kein Geheimnis daraus machen darf.

70,12 *Afterpolitik*: Politik im Nachhinein.

70,14 *reservatio mentalis*: geheimer Vorbehalt.

70,17 *status quo … de droit*: Sachverhalt und »Rechtslage«.
Probabilismus: Wahrscheinlichkeitskalkül.

70,21 f. *peccatum philosophicum (peccatillum, bagatelle)*: philosophischer (i. S. v. philosophisch gerechtfertigter) Fehltritt oder Sünde, gegen den vernachlässigenswerten, sehr kleinen Fehltritt, eine Bagatelle.

Zu dieser Ausgabe

Der Text der vorliegenden Ausgabe folgt:

> Kant's gesammelte Schriften. Hrsg. von der Königlich Preußischen Akademie der Wissenschaften. Erste Abteilung: Werke. Achter Band: Abhandlungen nach 1781. Berlin: G. Riemer, 1912. [Vgl. Zur Textgestalt, S. 78–83: C (a), 5.]

Die Orthographie wurde bei Wahrung des originalen Lautstandes behutsam dem heutigen Gebrauch angeglichen. – Stellenkommentare wurden vom Verlag ergänzt.

Zur Textgestalt

Textausgaben

A. *Originalausgaben*

1. Zum ewigen Frieden. Ein philosophischer Entwurf von Immanuel Kant. Königsberg, bey Friedrich Nicolovius, 1795. – Von der ersten Auflage lieferte Nicolovius noch 1795 einen Abdruck, der ein Blatt Verbesserungen enthält; vgl. Arthur Warda: Die Druckschriften Immanuel Kants (bis zum Jahre 1838). Wiesbaden 1919. Nr. 155. S. 38.
2. Zum ewigen Frieden. Ein philosophischer Entwurf von Immanuel Kant. Neue vermehrte Auflage. Königsberg, bey Friedrich Nicolovius, 1796. – Die zweite Auflage berücksichtigt das im Abdruck der 1. Auflage enthaltene Druckfehlerverzeichnis. Sie bringt außerdem einen zweiten »Zusatz« (»Geheimer Artikel zum ewigen Frieden«; in vorl. Ausg. S. 43–45).

Nachdrucke der 1. Auflage erschienen 1796 und 1797 in Frankfurt und Leipzig, ohne Verlagsnennung (vgl. Warda, Nr. 157, 158)

Bei Nicolovius kam 1796 auch eine von Kant autorisierte französische Übersetzung heraus:

> Projet de paix perpétuelle. Essai philosophique par Emanuel Kant. Traduit de l'Allemand avec un nouveau supplément de l'auteur. Königsberg 1796 chez Frédéric Nicolovius. (Zit. nach: Akad.-Ausg. 8,508).

Zum speziellen Interesse des revolutionären Frankreich an dieser Schrift und zu weiteren Übersetzungen vgl.:

> Alain Ruiz: À l'aube du kantisme en France. Sieyès, Karl Friedrich Reinhard et le traité *Vers la paix perpétuelle* (Hiver 1795–1796). Avec le texte inédit de l'adaptation française du traité par Reinhard.

In: Cahiers d'Études Germaniques (Université de Provence. Centre d'Aix) 4 (1980). S. 147–193. 5 (1981). S. 119–153.

B. *Handschriftliches Material*

Die Hauptmasse des von der Akademie-Ausgabe in Bd. 23 dargebotenen handschriftlichen Materials stammt aus Rudolf Reickes (zuerst in der *Altpreußischen Monatsschrift*, dann separat in drei Heften 1889, 1895 und 1898 erschienenen) Sammlung von »Losen Blättern aus Kants Nachlass«. Bei den von Reicke dargebotenen Materialien handelt es sich um Manuskripte der Universitätsbibliothek Königsberg, »die Fr. W. Schubert seinerzeit für die Rosenkranzsche Ausgabe der Werke Kants gesammelt und auf 13 Konvolute verteilt hatte« (G. Lehmann; Akad.-Ausg. 23,508). Die Konvolute trugen die Signatur A-N. Texte zur Friedensschrift finden sich in den Konvoluten A und F. Wir bringen im Folgenden eine Aufstellung der Manuskripte nach Konvolut, Reicke-Publikation und Akademie-Ausgabe (Abkürzungen: LBl. = Loses Blatt [aus Konvolut A oder F]; R I = Rudolf Reicke: Lose Blätter aus Kants Nachlass. Königsberg. 1. Heft. 1889; R II = Dass. 2. Heft. 1895; Ak. = Akademie-Ausgabe Bd. 23).

Außer den Schubert-Reickeschen Materialien (die insgesamt durch Kriegsfolgen verschwunden sind) werden unter (b) und (c) noch weitere – teils noch vorhandene, teils ebenfalls verschollene – Manuskripte aufgeführt.

(a) Vorarbeiten

1.	LBl. F 13	R II,323–324	Ak. 155
2.	LBl. A 12	R I,80–81	Ak. 155–156
3.	LBl. F 20	R II,360–363	Ak. 156–158
4.	LBl. F 15	R II,331–336	Ak. 159–163
5.	LBl. F 23	R II,371–375	Ak. 163–166
6.	LBl. F 12	R II,321–322	Ak. 166–167
7.	LBl. F 16	R II,336–339	Ak. 167–169
8.	LBl. F 9	R II,297–307	Ak. 170–175

(b) Reinschriftfragmente

1. LBl. F 8 R 11,297–307 Ak. 175–182 (entspricht Ak. 8,362–368)
2. LBl. Goethe-Schiller Archiv in Weimar (schließt direkt an LBl. F 8 an) Ak. 182–192 (entspricht Ak. 8,370–375)
   Vgl. zu diesem Reinschriftfragment Gerhard Lehmann: Ein Reinschriftfragment zu Kants Abhandlung vom ewigen Frieden. Berlin 1955. (Sitzungsberichte der Deutschen Akademie der Wissenschaften zu Berlin, Klasse für Philosophie, Geschichte, Staats-, Rechts- und Wirtschaftswissenschaften. Jg. 1955. Nr. 2); wiederabgedr. in: G. L.: Beiträge zur Geschichte und Interpretation der Philosophie Kants. Berlin 1969. S. 51–66. – Im Anschluss an seine Abhandlung bringt Lehmann 4 Anlagen, die durchstrichene Stellen (Anlagen I und II) sowie zwei Randbemerkungen Kants, »die sich als *selbständige Reflexionen* erweisen« (S. 57; Anlagen III und IV), enthalten.
3. Erst 1982 wurden die vier ersten Seiten der Kantischen Originalhandschrift aufgefunden. Das neuaufgefundene Manuskript macht es u. a. möglich, die bislang nicht sinnvoll rekonstruierbare Stelle Ak. 347 22–23 (in vorl. Ausg. S. 11, 25–27), von der Heinrich Maier, der Editor der Friedensschrift in der Akademie-Ausgabe, sagt, sie sei »nicht zu heilen« (Ak. 8,510), in Ordnung zu bringen. Das Manuskript wird in den *Kant Studien* veröffentlicht werden. [Inzwischen erschienen in den *Kant Studien* 77, s. Baum et al. 1986.]

(c) Druckvorlage

Aus dem Besitz Rudolf Reickes war die für die 1. Auflage als Druckvorlage dienende Abschrift der Kantischen Reinschrift in die Universitätsbibliothek Königsberg gekommen. Das Manuskript wurde – wie auch LBl. F 8 (nach dem Sigel der Akad.-Ausg. H^1) – bei der Edition der Friedensschrift in der Akademie-Ausgabe (unter dem Sigel H^2) ausgewertet. Wie alle vorgenannten Stücke der Universitätsbibliothek Königsberg ist auch dieses Manuskript verschollen. Zur Manuskriptbeschreibung vgl. Ak. 8,507; dort finden sich auch Beschreibungen der LBl. F 9 und LBl. F 8. – Außer H^1 (= F 8) und H^2 verwertet Ak. 8 keine weiteren Manuskripte für die Textherstellung (vgl. Ak. 8,509–511).

C. *Spätere Ausgaben*

(a) Editionen in Gesamtausgaben

1. Immanuel Kant's sämmtliche Werke. Hrsg. von Karl Rosenkranz und Friedrich Wilhelm Schubert. Bd. 7, Abt. 1: Immanuel Kant's kleine anthropologisch-praktische Schriften. Hrsg. von Friedrich Wilhelm Schubert. Leipzig: L. Voss, 1838. S. 229–291.
2. Immanuel Kant's Werke, sorgfältig revidirte Gesammtausgabe in zehn Bänden. Hrsg. von Gustav Hartenstein. Bd. 5: Immanuel Kant's Metaphysik der Sitten in zwei Theilen, Rechtslehre, Tugendlehre. Nebst den kleineren Abhandlungen zur Moral und Politik. Leipzig: Modes und Baumann, 1838. S. 411–466.
3. Immanuel Kant's sämmtliche Werke. In chronologischer Reihenfolge hrsg. von G[ustav] Hartenstein. Bd. 6. Leipzig: L. Voss, 1868. S. 405–454.
4. Immanuel Kant's sämmtliche Werke. Hrsg. von J[ulius] H[ermann] v. Kirchmann. Bd. 6, Abt. 1: Immanuel Kant's kleinere Schriften zur Ethik und Religionsphilosophie. Berlin: L. Heimann, 1870. S. 147–205.
5. Kant's gesammelte Schriften. Hrsg. von der Königlich Preußischen Akademie der Wissenschaften. Abt. 1: Werke. Bd. 8: Abhandlungen nach 1781. [Editor der Schrift *Zum ewigen Frieden*: Heinrich Maier.] Berlin: G. Reimer, 1912. (Nachdr. 1923, 1969 [im Verlag W. de Gruyter].) S. 341–386.
6. Immanuel Kant. Sämtliche Werke. In Verb. mit Hermann Cohen, O[tto] Buek, P[aul] Gedan, W[alter] Kinkel, F[riedrich] M[ichael] Schiele, Th[eodor] Valentiner hrsg. von Karl Vorländer. (Philosophische Bibliothek.) Bd. 6, Abt. 1: Kleinere Schriften zur Geschichtsphilosophie, Ethik und Politik. Hrsg., eingel. und mit Personen- und Sachregister vers. von Karl Vorländer. Leipzig: F. Meiner, 1913. (Philosophische Bibliothek. 47/1.) (Nachdr. 1973.) S. 115–169. [Vgl. auch unter (b).]
7. Immanuel Kants Werke. In Gemeinschaft mit Hermann Cohen, Artur Buchenau, Otto Buek, Albert Görland, B[enzion] Kellermann, Otto Schöndörffer hrsg. von Ernst Cassirer. Bd. 6: Schriften von 1790–1796. Hrsg. von A. B., E. C., B. K. [Hrsg. der Friedens-

schrift: B. K.] Berlin: B. Cassirer, 1914. [2]1923. (Nachdr. Hildesheim: Olms, 1973.) S. 425–474.

8. Sämtliche Werke in sechs Bänden. (Großherzog-Wilhelm-Ernst-Ausgabe.) Bd. 5: Moralische Schriften. Hrsg. von Felix Groß. Leipzig: Insel Verlag, 1922. S. 657–711.
9. Immanuel Kant. Werke in sechs Bänden. Hrsg. von Wilhelm Weischedel. Bd. 6: Schriften zur Anthropologie, Geschichtsphilosophie, Politik und Pädagogik. Wiesbaden: Insel Verlag / Darmstadt: Wissenschaftliche Buchgesellschaft, 1964. S. 193–251.
   Die Ausgabe der Wissenschaftlichen Buchgesellschaft wurde mehrfach überprüft; von Bd. 6 liegt der »3., nochmals überprüfte reprografische Nachdruck« aus dem Jahre 1975 vor. Diese Ausgabe wurde 1968 auch als zehnbändige Taschenbuchausgabe (text- und seitenidentisch mit der sechsbändigen Ausgabe) herausgebracht; die Friedensschrift findet sich in Bd. 9 (hiervon: 4., überprüfter Nachdr. 1975). – Eine text- und seitenidentische Taschenbuchausgabe gibt es auch von der sechsbändigen Insel-Ausgabe: eine zwölfbändige Ausgabe erschien 1968 im Suhrkamp Verlag als Theorie-Werkausgabe (getrennt folgte 1969 ein Register von R. P. Horstmann); 1977 wurde diese Ausgabe in die Reihe »suhrkamp taschenbuch wissenschaft« übernommen (das Register befindet sich in Bd. 12). In dieser ist die Friedensschrift in Bd. 11 abgedruckt.
   Alle diese Ausgaben sind seitenidentisch; das Register kann also für jede Version der Weischedel-Edition verwendet werden.
   Hilfreich bei der Arbeit mit der Friedensschrift in den genannten Gesamtausgaben (mit Ausnahme von Nr. 8) ist das folgende Werk: Norbert Hinske / Wilhelm Weischedel: Kant-Seitenkonkordanz. Darmstadt 1970.

(b) Einzelausgaben (Auswahl)
(chronologisch nach Editoren)

1. Karl Kehrbach. Leipzig: Reclam, 1881. (Universal-Bibliothek. 1501.)
2. Karl Vorländer. Leipzig: F. Meiner, 1914. – Einzelausgabe (vgl. Nr. 6 der Gesamtausgaben) u. d. T.: Immanuel Kant: Zum ewigen Frieden. Mit Ergänzungen aus Kants übrigen Schriften und einer ausführlichen Einleitung über die Entwicklung des Friedensgedankens. (2. Aufl. 1919.)

3. Julius Rodenberg. Hannover: Banas & Dette, 1923. [Mit Nachwort und Anmerkungen. Einmalige Auflage von 500 nummerierten Exemplaren.]
4. Raymund Schmidt. Leipzig: Reclam, 1925. (Universal-Bibliothek. 1501.) [Mit Vorwort und Nachwort. Löste die Kehrbach-Edition ab.]
5. Julius Rodenberg. Bremen: H. Kasten, 1946. [Wortgetreuer Neudruck der Erstausgabe (Zweitdruck) von 1795. Mit Anführung von 38 von 1795 bis 1946 erschienenen Ausgaben und Nachwort.]
6. Theodor Valentiner. Stuttgart: Reclam, 1954. (Universal-Bibliothek. 1501.) [Mit Einführung und textkritischen Bemerkungen. Löste die Schmidt-Edition ab.]
7. Oliver Eberl und Peter Niesen (Kommentar). Mit den Passagen zum Völkerrecht und Weltbürgerrecht aus Kants Rechtslehre. Frankfurt am Main: Suhrkamp, 2011.
8. Karl-Maria Guth. Berlin: Hofenberg 2016.
9. Berlin: Berliner Verlagsbuchhandel 2021. [Mit einem Geleitwort von Bernd Ludwig.]

(c) Ausgaben in Schriftensammlungen (Auswahl)
(chronologisch nach Editoren bzw. nach Sammlungen)

1. Immanuel Kant's Populäre Schriften. Unter Mitw. der Kant-Gesellschaft hrsg. von Paul Menzer. Berlin: G. Reimer, 1911. S. 309–368.
2. August Messer (Hrsg.). In: Kants Werke in drei Bänden. Berlin/Leipzig: Th. Knauer, [1926]. Bd. 3. S. 733–778.
3. Otto Heinrich von der Gablentz (Hrsg.). In: Immanuel Kant: Politische Schriften. Köln/Opladen: Westdeutscher Verlag, 1965. S. 104–150.
4. Reinhold Schneider / Carl Friedrich von Weizsäcker / Immanuel Kant: Friede der Welt – Schicksal der Menschheit. Freiburg: Herder, 1974. S. 113–156.
5. Immanuel Kant. 1724–1974. Bonn-Bad Godesberg: Inter Nationes, 1974. [Die beiden Schlussseiten in der Handschrift Kants, S. 27–29.]
6. Steffen und Birgit Dietzsch (Hrsg.). In: Immanuel Kant: Von den Träumen der Vernunft. Kleine Schriften zur Kunst, Philosophie, Geschichte und Politik. Leipzig/Weimar: G. Kiepenheuer, 1979. (2. Aufl. 1981.) S. 413–471.
7. Zwi Batscha / Richard Saage (Hrsg.). In: Friedensutopien. Kant. Fichte. Schlegel. Görres. Frankfurt a. M.: Suhrkamp, 1979. S. 37–82.

Literaturhinweise

Die Sekundärliteratur zur Friedensschrift ist umfangreich; der Schwerpunkt der folgenden Auswahl liegt auf den Erscheinungen der letzten Jahrzehnte. Über Rezensionen und Schriften, die noch zu Kants Lebzeiten zur Friedensschrift herauskamen, informiert Adickes' Bibliographie. Ein unverzichtbares Hilfsmittel für die Recherche ist auch die von Rudolf Malter begründete *Kant-Bibliographie* (hrsg. von Margit Ruffing, Frankfurt a. M. 1998 [u. ö.] 2007), deren Bände die Zeiträume 1945–1990 und 1896–1944 abdecken. Ausführliche Bibliographien zur Friedensschrift finden sich bei Cavallar (1992), Gerhardt (1995) und Höffe (1995).

Adickes, Erich: German Kantian Bibliography. 3 Tle. (Nachdr. [der Ausg. Boston 1896] Würzburg 1969.)

Almeida, Guido Antonio de / Rohden, Valerio / Ruffing, Margit / Terra, Ricardo R. (Hrsg.): Recht und Frieden in der Philosophie Kants. Akten des X. Internationalen Kant-Kongresses (fünf Bände). Berlin u. a. 2008.

Baum, Günter / Bayerer, Wolfgang Georg / Malter, Rudolf: Ein neu aufgefundenes Reinschriftfragment Kants mit den Anfangstexten seines Entwurfs *Zum ewigen Frieden*. In: Kant Studien 77/3 (1986). S. 316-337.

Bayer, Wolfgang: Das Königsberger Schlussblatt des Entwurfs *Zum ewigen Frieden*. In: Kant Studien 79 (1988). S. 293-317.

Berghahn, Klaus L.: Utopie und Verantwortung in Kants Schrift *Zum ewigen Frieden*. In: Zur Literatur der Goethe-Zeit. Hrsg. von Wolfgang Wittkowski. Tübingen 1988. S. 164–189.

Beutin, Wolfgang (Hrsg.): Hommage à Kant. Kants Schrift *Zum ewigen Frieden*. Hamburg 1996.

Bialas, Volker / Häßler, Hans-Jürgen (Hrsg.): 200 Jahre Kants Entwurf *Zum ewigen Frieden*. Idee einer globalen Friedensordnung. Würzburg 1996.

Bohman, James / Lutz-Bachmann, Matthias (Hrsg.): Perpetual Peace. Essays on Kant's Cosmopolitan Ideal. Cambridge (Mass.) 1997.

Borries, Kurt: Kant als Politiker. Zur Staats- und Gesellschaftslehre des Kritizismus. Leipzig 1928. (Nachdr. Aalen 1973.) S. 200 ff.

Brandt, Reinhard: Das Erlaubnisgesetz: oder Vernunft und Geschichte in Kants Rechtslehre. In: Rechtsphilosophie der Aufklärung. Symposium Wolfenbüttel 1981. Hrsg. von R. B. Berlin / New York 1982. S. 233–285.

– Historisch-Kritische Beobachtungen zu Kants Friedensschrift. In: Jahrbuch Politisches Denken 4 (1994). S. 75–102.

Carson, Thomas: »Perpetual Peace«. What Kant Should Have Said. In: Social Theory and Practice 14 (1988). S. 173–214.

Cavallar, Georg: Kant's Society of Nations. Free Federation or World Republic? In: Journal of the History of Philosophy 32 (1994). S. 461–482.

– Pax Kantiana. Systematisch-historische Untersuchung des Entwurfs *Zum ewigen Frieden* (1795) von Immanuel Kant. Wien/Köln/Weimar 1992.

Delinière, Jean: K. Fr. Reinhard, introducteur de Kant auprès de Sieyès. In: Revue d'Allemagne et des pays de langue allemande 12 (1980). S. 481–496.

Denker, Rolf: Kants Theorie des dreifachen Weges zum Weltfrieden – oder: Die Absichten der Natur in der Geschichte. In: Immanuel Kant. 1724/1974. Kant als politischer Denker. Hrsg. von Eduard Gerresheim. Bonn – Bad Godesberg 1974. S. 5–16.

Dicke, Klaus / Kodalle, Klaus-Michael (Hrsg.): Republik und Weltbürgerrecht. Kantische Anregungen zur Theorie politischer Ordnung nach dem Ende des Ost-West-Konflikts. Weimar/Köln/Wien 1998.

Ebbinghaus, Julius: Kants Lehre vom ewigen Frieden und die Kriegsschuldfrage. Tübingen 1929. Wiederabgedr. in: J. E.: Gesammelte Aufsätze, Vorträge und Reden. Hildesheim 1968. S. 24–57.

Eberl, Oliver: Realismus des Rechts. Kants Beitrag zum internationalen Frieden. In: Blätter für deutsche und internationale Politik 49 (2004). S. 199–211.

– Demokratie und Frieden. Kants Friedensschrift in den Kontroversen der Gegenwart. Baden-Baden 2008.

Ferdinand, Hans-Michael: »Einhelligkeit von Moral und Politik« – Zu Kants kritischer Bestimmung des Friedens. Diss. Tübingen 1987.

Franz, Dietrich E. / Stahl, Jürgen: »Der ewige Friede ist keine leere Idee, sondern eine Aufgabe«. Bemerkungen zu den Friedenskonzeptionen Kants und Fichtes. In: Deutsche Zeitschrift für Philosophie 31 (1983). S. 18–30.

Freudenberg, Günter: Kants Lehre vom ewigen Frieden und ihre Bedeutung für die Friedensforschung. In: Studien zur Friedensforschung. Bd. 1. Hrsg. von Georg Picht und Heinz Eduard Tödt. Stuttgart 1969. S. 178–208.

– Kants Schrift *Zum ewigen Frieden*. In: Zeitschrift für evangelische Ethik 11 (1967). S. 65–79.

Friedrich, Carl Joachim: Die Ideen der Charta der Vereinten Nationen und die Friedensphilosophie von Immanuel Kant. In: C. J. F.: Zur Theorie und Praxis der Verfassungsordnung. Ausgewählte Aufsätze. Heidelberg 1963. S. 69–83.

Frings, Manfred: Zur Idee des Friedens bei Kant und Max Scheler. In: Kant-Studien 66 (1975). S. 5–101.

Funke, Gerhard: Zum ewigen Frieden – Ethik und Politik. In: Deutsche Ostkunde 20 (1974). S. 5–35. Wiederabgedr. in: G. F.: Von der Aktualität Kants. Bonn 1979. S. 45–156.

Geismann, Georg: Kants Rechtslehre vom Weltfrieden. In: Zeitschrift für philosophische Forschung 37 (1983). S. 63–387.

Gerhardt, Volker: Immanuel Kants Entwurf *Zum ewigen Frieden*. Eine Theorie der Politik. Darmstadt 1995.

Gerwin, Edgar: Kant and the Idea of the Societies of Nations. In: Actes du Congrès d'Ottawa sur Kant dans les traditions anglo-américaine et continentale. Éd. par Pierre Laberge, François Duchesneau, Bryan E. Morisey. Ottawa 1976. S. 525–541.

Goetschel, Willi: Kritik und Frieden. Zur literarischen Strategie der Schrift *Zum ewigen Frieden*. In: Weimarer Beiträge 41 (1995). S. 120–126.

Habermas, Jürgen: Kants Idee des ewigen Friedens – aus dem historischen Abstand von 200 Jahren. In: J. H.: Die Einbeziehung des Anderen. Studien zur politischen Theorie. Frankfurt a. M. 1996. S. 192–236.

Hackel, Marcus: Kants Friedensschrift und das Völkerrecht. Berlin 2000.

Hancock, Roger: Kant on War and Peace. In: Akten des 4. Internationalen Kant-Kongresses. Tl. 2,2. Hrsg. von Gerhard Funke. Berlin / New York 1974. S. 668–674.

Hennigfeld, Jochen: Der Friede als philosophisches Problem. Kants Schrift *Zum ewigen Frieden.* In: Allgemeine Zeitschrift für Philosophie 8 (1983). S. 23–37.

Hespe, Franz: Das krumme Holz und das höchste Gut. In: Hüning und Klingner: (Hrsg.) 2018. S. 171-204.

Hinsch, Wilfried: Die Moral des Krieges. Für einen aufgeklärten Pazifismus. München, Berlin und Zürich 2017.

Hirsch, Alfred: Menschenrechte und *foedus pacis.* Zur Kosmopolitik der Hospitalität im Anschluss an einige Überlegungen Immanuel Kants. In: Internationale Zeitschrift für Philosophie 13 (2004). S. 61–77.

Hoeres, Peter: Kants Friedensidee in der deutschen Kriegsphilosophie des Ersten Weltkrieges. In: Kant-Studien 93 (2002). S. 84–113.

Höffe, Otfried: »Königliche Völker«. Zu Kants kosmopolitischer Rechts- und Friedenstheorie. Tl. 3: Rechtsmoral und Frieden. Frankfurt a. M. 2001.

– Kategorische Rechtsprinzipien. Ein Kontrapunkt der Moderne. Frankfurt a. M. 1990. S. 249–279.

– (Hrsg.): Immanuel Kant: Zum ewigen Frieden (= Klassiker auslegen Band 1). Dritte, bearbeitete Auflage. Berlin 2011.

– Völkerbund oder Weltrepublik? In: Ders. (Hrsg.) 2011. S. 77–93.

– Ausblick: Die Vereinten Nationen im Lichte Kants. In: Ders. (Hrsg.) 2011. S. 175–194.

Höntzsch, Frauke: Europa auf dem Weg »zum ewigen Frieden«? Kants Friedensschrift und die Wirklichkeit der Europäischen Union. München 2007.

Hoor, E.: Das Völkerrecht bei Kant, Fichte und Hegel. In: Acta Scandinavica Juris Gentium 5 (1934). S. 81–103.

Hüning, Dieter / Klingner, Stefan (Hrsg.): … jenen süßen Traum träumen. Kants Friedensschrift zwischen objektiver Geltung und Utopie. Baden-Baden 2018.

Irrlitz, Gerd: Kant-Handbuch. Leben und Werk. Stuttgart ^{3}2015. S. 431–435.

Jaspers, Karl: Kants *Zum ewigen Frieden.* In: Wesen und Wirklichkeit des Menschen. Festschrift für Helmuth Plessner. Hrsg. von Konrat Ziegler. Göttingen 1957. S. 131–152. Wiederabgedr. in: K. J.: Aneignung und Polemik. Hrsg. von Hans Saner. München 1968. S. 205–232.

– Kants Schrift *Zum ewigen Frieden.* In: Universitas 13 (1958). S. 711–719. (Wiederabgedr. in: Jaspers (1968). S. 233–241.)

Kaufmann, Matthias: Wie gegründet ist Kants Hoffnung auf Frieden im Jahr 2000? In: Allgemeine Zeitschrift für Philosophie 25 (2000). S. 167–187.

Kaulbach, Friedrich: Studien zur späten Rechtsphilosophie Kants und ihrer transzendentalen Methode. Würzburg 1982.

Kersting, Wolfgang: Kant über Recht. Paderborn 2004. S. 149–168.

– Pax Kantiana. In: W. K.: Wohlgeordnete Freiheit. Immanuel Kants Rechts- und Staatsphilosophie. Frankfurt a. M. 1993. S. 67–83.

Kleingeld, Pauline: Approaching Perpetual Peace. Kant's Defence of a League of States and His Ideal of a World Federation. In: European Journal of Philosophy 12 (2004). S. 304–325.

Klenner, Hermann: Kants Entwurf *Zum ewigen Frieden* – Illusion oder Utopie? In: Neue Justiz. Zeitschrift für Rechtsetzung und Rechtsanwendung 50 (1996). S. 1–5.

Kodalle, Klaus-Michael (Hrsg.): Der Vernunftfrieden. Kants Entwurf im Widerstreit. Würzburg 1996.

Kuypers, Karel: Kant und die Idee eines vereinigten Europas. In: Lier en Boog 4 (1980). S. 147–159.

Lehmann, Gerhard: Ein Reinschriftfragment zu Kants Abhandlung zum ewigen Frieden (1955). In: G. L.: Beiträge zur Geschichte und Interpretation der Philosophie Kants. Berlin 1969. S. 51–66.

Löwe, Bernd P.: Immanuel Kants Entwurf *Zum ewigen Frieden* und das Dilemma der bürgerlichen Friedensforschung. In: Revolution der Denkart oder Denkart der Revolution. Beiträge zur Philosophie Immanuel Kants. Hrsg. von Manfred Buhr und T. I. Ojzerman. Berlin 1976. S. 329–348.

Ludwig, Bernd: Will die Natur unwiderstehlich die Republik? Einige

Reflexionen anläßlich einer rätselhaften Textpassage in Kants Friedensschrift. In: Kant-Studien 88 (1997). S. 218–229.
– Zum Frieden verurteilt? Was »garantiert« die Natur in Kants Traktat vom ewigen Frieden? In: Jahrbuch für Recht und Ethik / Annual Review of Law and Ethics 13 (2005). S. 275–287.
Lutz-Bachmann, Matthias / Bohman, James (Hrsg.): Frieden durch Recht. Kants Friedensidee und das Problem einer neuen Weltordnung. Frankfurt a. M. 2016.
Maus, Ingeborg: Menschenrechte, Demokratie und Frieden. Perspektiven globaler Organisation. Berlin 2015.
Merkel, Reinhard / Wittmann, Roland (Hrsg.): »Zum ewigen Frieden«. Grundlagen, Aktualität und Aussichten einer Idee von Immanuel Kant. Frankfurt a. M. 1996.
Mori, Massimo: La problema della guerra nella filosofia della storia di Kant. In: Filosofia 30 (1979). S. 209–230.
Müller, Wilhelm: Kant und der Friede. Düsseldorf 1962.
Natorp, Paul: Kant über Krieg und Frieden. Erlangen 1924.
Orend, Brian: Kant's Ethics of War and Peace. In: Journal of Military Ethics 3 (2004). S. 161–177.
Picht, Georg: Kants transzendentale Grundlegung des Völkerrechts. Ein Beitrag zur Friedensforschung. In: Aufrisse. Almanach des Ernst Klett Verlages 1946–1971. Stuttgart 1971. S. 223–279.
Pojman, Louis P.: Kant's Perpetual Peace and Cosmopolitanism. In: Journal of Social Philosophy 36 (2005). S. 62–71.
Raumer, Kurt von: Ewiger Friede. Friedensrufe und Friedenspläne seit der Renaissance. Freiburg i. Br. / München 1953.
Reinhardt, Karoline: Die »Bedingungen der allgemeinen Hospitalität«. Welchen Schutz bietet Kants Weltbürgerrecht für Flüchtlinge und Staatenlose? In: Hüning und Klingner (Hrsg.): … jenen süßen Traum träumen. Kants Friedensschrift zwischen objektiver Geltung und Utopie. Baden-Baden 2018. S. 127-150.
– Migration und Weltbürgerrecht. Zur Aktualität eines Theoriestücks der politischen Philosophie Kants. Freiburg/München 2019.
Reiss, Hans (Hrsg.): Kant, Political Writings. With an Introd. and Notes by H. R. Transl. by H. B. Nisbet. Cambridge 1970. S. 1–40.

Reiss, Hans: Kants politisches Denken. Übers. von Gisela Shaw. Bern / Frankfurt a. M. / Las Vegas 1977.

Reuvers, Hans-Bert: Friedensidee und Friedenswirklichkeit bei Kant, Fichte und Hegel als Repräsentanten des Anspruchs vorrevolutionärer, revolutionärer und nachrevolutionärer Vernunft. In: Hegel-Jahrbuch 1976. S. 247–256.

Riedel, Manfred: Herrschaft und Gesellschaft. Zum Legitimationsproblem des Politischen in der Philosophie. In: Materialien zu Kants Rechtsphilosophie. Hrsg. von Zwi Batscha. Frankfurt a. M. 1976. S. 125–148.

Ritter, Christian: Der Rechtsgedanke Kants nach den frühen Quellen. Frankfurt a. M. 1971. S. 136 ff., 316 f.

Rogge, H.: Kants Entwurf zum »Ewigen Frieden« und die Völkerrechtstheorie. In: Archiv für Rechts- und Sozialphilosophie 43 (1941). S. 83–136.

Ruiz, Alain: À l'aube du kantisme en France. Le texte inédit de l'adaptation française du traité de Kant *Vers la paix perpétuelle* par Karl Friedrich Reinhard. In: Cahiers d'Études Germaniques 5 (1981). S. 119–153.

– À l'aube du kantisme en France. Sieyès, Karl Friedrich Reinhard et le traité *Vers la paix perpétuelle*. In: Cahiers d'Études Germaniques 4 (1980). S. 147–193.

– Neues über Kant und Sieyès. Ein unbekannter Brief des Philosophen an Anton Ludwig Théremin (März 1796). In: Kant-Studien 68 (1977). S. 446–453.

Saner, Hans: Kants Weg vom Krieg zum Frieden. Bd. 1: Widerstreit und Einheit. Wege zu Kants politischem Denken. München 1967.

Schilpp, Paul Arthur: Kant and the Problem of World Peace. In: Value and Valuation. Axiological Studies in Honor of Robert S. Hartmann. Ed. by John William Davis. Knoxville 1972. S. 167–181.

Schmidt, Hajo: Durch Reform zu Republik und Frieden? Zur politischen Philosophie Immanuel Kants. In: Archiv für Rechts- und Sozialphilosophie 71 (1985). S. 297–318.

Schneiders, Werner: Philosophenkönige und königliche Völker. Modelle philosophischer Politik bei Platon und Kant. In: Filosofia Oggi 2 (1981). S. 165–175.

Schröder, Volker: Ein weiteres Reinschriftfragment von Kants Entwurf *Zum ewigen Frieden.* In: Kant-Studien 110. Heft 2 (2019). S. 189-210.
Shell, Susan Meld: The Rights of Reason. A Study of Kant's Philosophy and Politics. Toronto/Buffalo/London 1980. S. 173 ff.
Steinsdorff, Christian von: Das »Recht nach dem Kriege« in der Philosophie Immanuel Kants. Baden-Baden 2014.
Streit, Peter: Ethik gegen Machtpolitik. Immanuel Kants Friedensschrift im Kontext des Zeitalters der Aufklärung. Bern u.a. 2011.
Timm, Hermann: Wer garantiert den Frieden? Über Kants Schrift *Zum ewigen Frieden.* In: Studien zur Friedensforschung. Bd. 1. Hrsg. von Georg Picht und Heinz Eduard Tödt. Stuttgart 1969. S. 209–239.
Unruh, Peter: Kant und der Weltföderalismus. Zur Grundlegung und Aktualität von Kants global-politischer Philosophie. Berlin 2021.
Vorländer, Karl: Kant und der Gedanke des Völkerbundes. Leipzig 1919.
Weidenfeld, Werner: Frieden im Spannungsfeld. Überlegungen zu Kants Theorie der Politik. In: Beiträge zur Konfliktforschung 3 (1973). S. 57–69.
Weil, Eric: Geschichte und Politik. In: E. W.: Probleme des Kantischen Denkens. Hrsg. von Héctor Wittwer. Berlin 2002. S. 101–124.
Williams, Howard: Kant's Critique of Hobbes. Sovereignty and Cosmopolitanism. Cardiff 2003.
– Kant's Political Philosophy. Oxford 1983.
Zahn, Lothar: Kant und die Problematik des neuesten Friedensbegriffs. In: Scheidewege 2 (1972/73). S. 351–372.
Zenkert, Georg: Kants Utopie des ewigen Friedens und die Topik der Politik. In: Dialektik (2001/02). S. 15–32.
– Politik als Friedensstrategie. Kants Entwurf zum ewigen Frieden in der Diskussion. In: Philosophische Rundschau 46 (1999). S. 97–115.

Nachwort

I

Gewährung und Wahrung des Friedens ist Sache der Politik; Politik jedoch, die sich allein auf ihre pragmatischen Mittel verlässt, verfehlt den Frieden; sie geht auf ihn zu, wenn sie sich unter Grundsätze stellt, die aus reiner praktischer Vernunft, aus der »ursprünglichen moralischen Anlage in uns«, stammen: Immanuel Kants berühmter »Entwurf« *Zum ewigen Frieden* setzt auf *die* Politik, die dadurch, dass sie sich der Idee des Rechts unterordnet, den Frieden unter Menschen ermöglicht. »Das Recht der Menschen muß heilig gehalten werden, der herrschenden Gewalt mag es noch so große Aufopferung kosten. Man kann hier nicht halbieren, und das Mittelding eines pragmatisch-bedingten Rechts (zwischen Recht und Nutzen) aussinnen, sondern alle Politik muß ihre Knie vor dem erstern beugen, kann aber dafür hoffen, obzwar langsam, zu der Stufe zu gelangen, wo sie beharrlich glänzen wird« (S. 63).

Als Kant diese Worte – wohl unter dem Eindruck des am 5. April 1795 zwischen Preußen und Frankreich geschlossenen Sonderfriedens – niederschrieb, machte er sich, wie der Gesamttenor der Friedensschrift deutlich zu verstehen gibt, keine Illusionen über die realen Chancen, in absehbarer Zeit, ja überhaupt einmal zu einem Frieden zu gelangen, der mehr wäre als ein erweiterter Waffenstillstand. Dass der greise Denker trotz der ihn erfüllenden Skepsis gegenüber aller »Realpolitik« und in voller Erfassung der wirklichen Lage der Dinge eine Gedankenkonzeption entwarf, die den Maximen allseits praktizierter Politik entgegenlief, um den Begriff einer auf Rechtsgrundsätzen beruhenden Politik deutlich zu machen, hat ihm sofort den Vorwurf der Träumerei eingebracht. Diesen Vorwurf kann freilich aus Kants Sicht nur der erheben, der seinen Wirklichkeitssinn nicht hat: den Sinn dafür, dass durch bloß »empirische Politik« (S. 63) ein über einen Waffenstillstand hinausgehender »ewiger«, d. h. den Krieg ausschließender Friede nicht nur nicht erreicht, sondern sogar – vielleicht wider Willen – aktiv verhindert wird. Friede *soll* sein – darüber gibt es auch unter Politikern wenig Dissens; dass er nur durch die Befolgung von Rechtsgrundsätzen kommen *kann*, dies mag aus der Perspektive derer, die lediglich auf empirische Politik setzen, in der Tat chimärisch anmuten. Kant weiß von dieser Perspektive, wenn er seinem Schüler Kiesewetter gegenüber von den »rêveries« (Ak. 12,45) spricht, die die Schrift darstelle. Aber Kant lässt sich durch den erwarteten Vorwurf der Träumerei nicht beirren. Der Denker, der durch Kritik der reinen (theoretischen) und der (reinen) praktischen Vernunft revolutionär den Begriff von Wirklichkeit umgestaltet hat, folgt konsequent dem neuen, in der Unterscheidung von Erscheinung und Ding an sich gewonnenen Begriff von Wirklichkeit: allein dadurch, dass das Geschichtlich-Faktische, die reale Politik, unter das Intelligible, die *Idee* des Rechts, gestellt wird, kann die in sich hinfällige, dem Zufall preisgegebene Welt menschlichen Handelns »ewigen« Frieden gewinnen.

Der Augenblick, diesen *seinen* Weg zum Frieden philosophisch aufzuzeigen, war klug gewählt. Schon lange vor Publikation der Friedensschrift hat Kant über Krieg und Frieden nachgedacht; ihm war durch Rousseaus Vermittlung der *Projet de Paix Perpétuelle* des Abbé de Saint-Pierre bekannt; er kommentierte die vom Krieg und vom Frieden handelnden Stellen des Achenwallschen Kompendiums; er sprach auch offenbar in seinen Vorlesungen davon; in seinen geschichts- und rechtsphilosophischen Veröffentlichungen hat er seit 1784 wesentliche Gesichtspunkte seiner sich mehr und mehr entfaltenden Konzeption der Bedeutung von Krieg und Friede mitgeteilt.* Jetzt, in einer kurzen Pause zwischen Krieg und Krieg, war die Gelegenheit günstig, im Blick auf das revolutionäre Frankreich (mit seinen Ansätzen zu einer »republikanischen« Regierungsform) in konzentrierter, aber zugleich allgemeinverständlicher Darstellungsweise jene Konzeption in ihren Hauptlinien zu entwerfen.

Kant selber hat sich freilich kaum zu Anlass und Eigenart der Friedensschrift geäußert. Reinhold B. Jachmann spielt wohl auf Kants Stellungnahme zum Baseler Frieden an, wenn er schreibt: »[…] denn daß er ein wahrer Patriot war, das beweiset nicht allein seine Anhänglichkeit an sein Vaterland und selbst an seinen Geburtsort, sondern auch sein sehnlicher und oft geäußerter Wunsch, daß sich unser Staat in diese fremde Angelegenheit einer fremden Nation nicht mischen möchte und seine innige Freude darüber, als dieser Wunsch erfüllt wurde.« (Zit. nach: *I. Kant* […]. *Die*

* Vgl. u. a. Ak. 8,24 ff., 118 ff., 289 ff., 307 ff., 411 ff.; Ak. 5 (*Kritik der Urteilskraft*) 262 f., 430 f., 433; Ak. 6 (*Die Religion innerhalb der Grenzen der bloßen Vernunft*), 33 ff., 96 ff., 123; Ak. 6 (*Die Metaphysik der Sitten*), 343 ff.; Ak. 7 (*Der Streit der Fakultäten*), 85 f., 90 ff.; Ak. 7 (*Anthropologie in pragmatischer Hinsicht*), 276 f., 330 ff.; Ak. 12 (zur Friedensschrift), 35 f., 45 ff., 51, 53, 60, 81, 155, 265 f., 332; Ak. 15,606 f., 627 f., 777 ff., 791; Ak. 19,524 ff.; Ak. 20,76, 78, 102, 105 f., 175; Ak. 23,153–192.; Ak. 27,1381–94.

Biographien von L.E. Borowski, R.B. Jachmann und A.Ch. Wasianski, hrsg. von Felix Groß, Berlin 1912, S. 175.) Gern wüsste man mehr von dieser »Freude«, doch der Briefwechsel bringt nur spröde Mitteilungen zur Entstehungsgeschichte der Schrift, ja man erfährt von ihr erst, als sie offenbar schon großenteils oder sogar bereits ganz fertig vorlag; und was man dann von ihr erfährt, betrifft ausschließlich die Druckgeschichte.

Am 13. August 1795 bietet Kant seinem Verleger die Schrift an: »Wenn Ew. Hochedelgeb. eine Abhandlung, die, auf weißem Druckpapier, etwa fünf Bogen austragen dürfte und vor Ende künftiger Woche Ihnen im Mspt überliefert werden kann, zur nächsten Michaëlismesse fertig schaffen können [...]: so können Sie für diese nächste Messe, unter der Rubrik der fertig gewordenen Schriften, setzen lassen: ›**Zum ewigen Frieden.** Ein philosophischer Entwurf. von **Immanuel Kant**‹.« (Ak. 12,35.) Wohl wissend, wie gut Kant sich zu diesem Zeitpunkt und mit diesem Thema verkaufen ließ, sagte der Verleger noch am selben Tage zu, die Schrift für die Herbstmesse zu liefern; er wünschte überdies »zu erfahren, ob Ew. Wohlgeborn zufrieden sind, wenn gleich anfangs eine doppelte Auflage von Ihrer Schrift veranstaltet wurde, da eine einfache nur kurze Zeit vorhalten möchte« (Ak. 12,36). Nicolovius täuschte sich nicht; das kleine Buch wurde ein durchschlagender verlegerischer Erfolg. Sophie Reimarus berichtet an C. L. Reinhold am 3. Dezember 1795: »Nicolovius aus Königsberg schreibt, daß von der ersten Auflage des Ewigfriedens 2000 Ex. gleich vergriffen gewesen sind« (Ak. 13,415), man habe »eine neue von 1500 gemacht« (ebd.), und beide, Autor und Verleger, wünschten eine Übersetzung der Schrift ins Französische. Die noch 1795 veranstaltete »neue« Auflage ist ein mit dem ersten Druck fast identischer Abdruck (vgl. S. 78). Die eigentliche zweite Auflage, vor allem vermehrt durch den Zweiten Zusatz (S. 43–45), kam 1796 heraus. Ohne Genehmigung von Autor und Verleger erschienen in den Jahren 1796 und 1797 Nachdrucke in Frankfurt/Leipzig und Grätz. Kaum eine Schrift Kants ist in der Folgezeit so häufig als Einzelwerk publiziert worden wie der Entwurf *Zum ewigen Frieden.* Auch in den letzten Jahren sind immer wieder neue Ausgaben und Übersetzungen, auch in entferntere Sprachen wie ins Hebräische (1976) und Bulgarische (1977), erschienen.

II

Was die Leser an diesem kleinen Werk faszinierte, was viele von ihnen auch zu Kritik und Polemik veranlasste, war Kants Versuch, konkrete politische Überlegungen mit einer systematischen rechtsphilosophischen Reflexion zu verbinden. Auch wenn erst die 1797 publizierte »Rechtslehre« die explizite Systematik von Kants rechtsphilosophischer Reflexion lieferte, so ist diese Systematik doch schon implizit in dieser Schrift enthalten. Nicht schwächer kommt in ihr Kants Kraft zu realpolitischer Diagnose zum Ausdruck. Wie wenig Berechtigung besteht, Kants selbstironische Rede von seinen »rêveries« so zu verstehen, als seien seine Gedanken bloße ›Träumereien‹, beweist der genau durchdachte Aufbau des Werkes, der – auch dies nicht ohne Ironie – die Form eines Friedensvertrages hat. Auf die »Präliminarartikel« folgen die »Definitivartikel«, dann Zusätze, von denen der eine (in der zweiten Auflage hinzugekommene Zusatz) als »geheimer Artikel« die Nachahmung perfekt macht. Mit der Vertragsimitation weist Kant indirekt die Vermutung zurück, er wolle als Philosoph einer realitätsentzogenen Spekulation nachhängen; er widerspricht aber durch das ironische Moment der Imitation der Meinung, er selber werde nun zum Praktiker der »empirischen Politik«. Die enge Verbindung von rechtsphilosophischer Reflexion und politischer Erfahrung zeigt sich schon in den Präliminarartikeln, auch wenn in ihnen das politisch-konkrete Moment noch den Vorrang hat. Es sind negative Bedingungen, die er hier zunächst vorlegt: Folgt man diesen Forderungen nicht, so ist von der Seite der geschichtlich-politischen Faktizität aus schon der Weg zum ewigen Friedhof der Welt vorgezeichnet. Die Aktualität der sechs Artikel bedarf auch heute keiner Begründung; sie ist faktisch evident. Verboten werden (1) der nur bedingte Friedensschluss; (2) die Zerstörung der Souveränität eines Staates; (3) konkurrierende militärische Hochrüstung; (4) Verschuldung von Staaten zugunsten des Überreichwerdens anderer Staaten; (5) gewaltsame Intervention; (6) Kriegführung, die einen Frieden im Vorhinein ausschließt (politischer Terrorismus, Kapitulationsbruch, Verratanstiftung, Spionage).

Die auf die Präliminarartikel folgenden Definitivartikel haben zwar nicht die Aufgabe, die in den sechs ersten Artikeln enthaltenen politisch-rechtlichen Aussagen philosophisch abzuleiten, es besteht aber gleichwohl eine enge Verbindung zwischen beiden. Die Präliminarartikel implizieren bereits bestimmte moral- und rechtsphilosophische Prämissen, ja sie sprechen an manchen Stellen schon ausdrücklich von ihnen – so, wenn die Rede ist von der »Würde« des Regenten und der Minister, vom Staat als einer autark-souveränen »Gesellschaft von Menschen« und als »moralischer Person«; die Idee des ursprünglichen Vertrages wird erwähnt, Anarchie wird abgelehnt, der Krieg als »das traurige Notmittel im Naturzustande« bezeichnet, der Ausrottungskrieg als moralisch unerlaubt angesehen. Nicht zuletzt zeigt sich in den Präliminarartikeln der Bezug zum Recht darin, dass sie als Verbots*gesetze* formuliert und gemeint sind: empirische Politik ist hingeordnet auf rechtlich bestimmte Politik.

Die Definitivartikel und die ihnen angehängten Passagen entwickeln in knappster Form die positive Seite der Ermöglichung und Garantierung des Friedens; sie explizieren die in den Erläuterungen zu den sechs Präliminarartikeln schon aufgetauchten rechtsphilosophischen Themen und stellen sie in ihren systematischen Zusammenhang.

Die drei Definitivartikel antworten auf die Frage nach den apriorischen Bedingungen der Möglichkeit des ewigen Friedens (aber noch nicht auf die Frage nach der geschichtlichen Realisierbarkeit – der »Garantie« – des als a priori rechtlich möglichen Friedens). Kants Gedankengang setzt an der alternativen Verhaltensweise der Menschen zur Idee des Rechts an: Entweder befinden sich die Menschen schon in einer rechtlich verfassten Gesellschaft (»bürgerlich-gesetzlicher Zustand«, Rechtszustand) oder sie existieren ohne Rechtsbestimmtheit in »wilder«, »toller« Freiheit (»Naturzustand«). Thema der Definitivartikel ist nicht – wie dies in den geschichtsphilosophischen Schriften der Fall ist – der Übergang von der wilden zur gesetzlichen Freiheit, es wird vielmehr im Ausgang von der Tatsächlichkeit der beiden Alternativmöglichkeiten herausgestellt, dass (1) der rechtlich verfasste Gesellschaftszustand die notwendige Voraussetzung für den ewigen Frieden ist und dass (2) diese Voraussetzung nicht schon eo ipso mit der bloßen Existenz des Menschen erfüllt ist – dass der Friede also durch Rechtsverwirklichung »gestiftet« (S. 14) werden muss.

Ohne Blick auf den *geschichtlichen* Zusammenhang von Natur- und Rechtszustand wird allein erwogen, wie der rechtlich verfasste Zustand aussieht und inwiefern aus diesem Zustand der ewige Friede hervorgehen kann. Das Postulat der Friedensermöglichung lautet: »Alle Menschen, die aufeinander wechselseitig einfließen können, müssen zu irgend einer bürgerlichen Verfassung gehören« (S. 14). Da Menschen auf dreifache Weise sich rechtlich zueinander verhalten können: gemäß dem Staats-, dem Völker- und dem Weltbürgerrecht, ist die Möglichkeit eines auf die Verwirklichung der Idee des Rechts gegründeten Friedens auf diesen drei Ebenen zu erörtern. Notwendige *staatsrechtliche* Voraussetzung für den ewigen Frieden ist die republikanische Verfassung mit dem für sie konstitutiven Moment der Gewaltenteilung; notwendige *völkerrechtliche* Voraussetzung der Friedensstiftung ist die Schaffung eines föderalen Staatenbundes (bei Wahrung der Souveränität der einzelnen Staaten); notwendige *weltbürgerliche* Voraussetzung für die Friedensgewinnung ist die Einschränkung des Hospitalitätsrechts auf ein bloßes Besuchsrecht und das strikte Verbot des Kolonialismus.

Republikanische Verfassung im Staate, vertraglich geregelte Föderalität zwischen Staaten und Ausbeutungsverzicht sind die rechtlich-notwendigen Voraussetzungen für die Schaffung des ewigen Friedens. Sie sind aber noch nicht die »Garantie« dafür, dass der Friede auch verwirklicht wird. Der Erste Zusatz greift, um nachzuweisen, dass es eine solche »Garantie« durchaus gibt, auf Gedanken zurück, die Kant in der *Kritik der Urteilskraft* und seinen kleinen geschichtsphilosophischen Schriften dargelegt hat. Das der Freiheit gegenüberstehende Andere – die »Natur« – bietet jene Garantie. Von zentraler Wichtigkeit ist das, was Kant über die »Begünstigung« der »moralischen Absicht« (S. 38) durch die Natur selbst sagt – darüber, »daß dasjenige, was der Mensch nach Freiheitsgesetzen tun *sollte*, aber nicht tut, dieser Freiheit unbeschadet auch durch einen Zwang der Natur, daß er es tun *werde*, gesichert sei, und zwar nach allen drei Verhältnissen des öffentlichen Rechts« (S. 38). Kants Rekurs auf das vom Menschen unabhängige Tun der Natur will die rechtsphilosophische Reflexion ergänzen. Gezeigt werden soll, dass die rechtlich-notwendige (die Naturhaftigkeit übersteigende, intelligible) »zwangsfreie praktische Vernunft« (S. 39) hinsichtlich der ihr abverlangten Friedensstiftung unterstützt wird durch die (den Freiheitsgesetzen entzogene) Naturhaftigkeit des Menschen. Einerseits bleibt für Kant also die Forderung, dass durch reine praktische Vernunft die Idee des Rechts auf allen drei Ebenen verwirklicht wird, fest bestehen, andererseits – und dies ist das Anliegen des Ersten Zusatzes – kommt das naturhafte Sein des Menschen der Erfüllung des rechtlich Geforderten entgegen. In *staatsrechtlicher* Hinsicht erfolgt dies durch den – nicht in der Freiheit, sondern im »Mechanismus der Natur« – gegründeten Antagonismus der den Menschen einwohnenden selbstsüchtigen Neigungen: die in sich zerstörerische Kraft der Neigungen des einen Individuums trifft derart auf die (ebenfalls in sich zerstörerische) Kraft der Neigungen des anderen Individuums, dass die zerstörerischen Wirkungen sich aufheben und aus den einander widerstreitenden Individuen miteinander verträgliche Bürger werden; um diesen Effekt zu erzielen, bedarf es lediglich einer geschickten Organisation des Staates. (Näher ausgeführt ist die Antagonismus-Konzeption in der Schrift *Idee zu einer allgemeinen Geschichte in weltbürgerlicher Absicht.*)

Auf *völkerrechtlicher* Ebene hilft die »Natur«, durch Verschiedenheit von Sprachen und Religion, die Herbeiführung des ewigen Friedens schaffen – so nämlich, dass die sprachlich-religiöse Differenz zwischen den Staaten einerseits eine universalmonarchische Fusion (und in ihrem Gefolge: Despotismus und Anarchie) der Völker verhindert, andererseits aber eine wachsende Annäherung der Völker und – durch »lebhaftesten Wetteifer« (S. 42) der Kräfte – ein Gleichgewicht zwischen den Völkern entsteht, das die Herbeiführung eines ewigen Friedens erleichtert. Auf der *weltbürgerlichen* Ebene schließlich bewirkt die Natur durch den »wechselseitigen Eigennutz«, nämlich den »Handelsgeist« (S. 42), eine bündnisartige, den Krieg zumindest erschwerende Beziehung zwischen den Völkern.

Ob allerdings der innergesellschaftliche Konkurrenzkampf, der zwischenstaatliche Wetteifer und die ökonomische Verflechtung der Staaten die Kriegsgefahr verringern und zum Frieden hinführen, ja ob die in sich destruktiven »Natur«-Verhaltensweisen der Menschen untereinander sich so harmonisieren lassen, dass durch sie nicht gerade Krieg entsteht (man denke z. B. an Wirtschaftskriege), wäre hinsichtlich des ewigen Friedens eine schwerwiegende und kaum positiv beantwortbare Frage, wenn Kant den ewigen Frieden nur auf diese naturhaften, d. i. der Sinnlichkeit des

Menschen und deren antagonistischer Teleologie angehörenden Momente gründen wollte. Im Gefüge der Faktoren, die nach Kant den ewigen Frieden herbeiführen, steht der Beitrag der »Natur« an zweiter Stelle: Nur unter der Voraussetzung, dass der Mensch durch reine praktische Vernunft sich gesellschaftlich bestimmt, schlägt das, was naturhaft an ihm ist, nicht ins Destruktive um. Der »Mechanismus der Natur« stimmt nach Kant (auf unbegreifliche Weise) mit dem Freiheitshandeln des Menschen zusammen. Aber der Friede kommt nicht mechanisch, sondern durch die freie Tat des Menschen. Erfolgt sie, so wird jener Mechanismus, der von der Freiheit völlig unabhängig ist, zur »Garantie« des ewigen Friedens.

III

Da der Mensch also – ganz abgesehen davon, dass ihm die Natur ohne sein Zutun zu Hilfe kommt – zur Herstellung des ewigen Friedens *unbedingt* praktisch-notwendig gefordert ist, liegt das Problem der Friedensgewinnung für Kant nicht auf der Seite der uns unverfügbaren Natur, sondern auf der Seite des zum Freihandeln verpflichteten Menschen. Alles kommt hinsichtlich des ewigen Friedens darauf an, ob die notwendigen Voraussetzungen, die auf den drei rechtlichen Ebenen in den Definitivartikeln ausgesprochen sind, auch erfüllt werden. Können sie überhaupt erfüllt werden? ›Sollen‹ impliziert für Kant ›Können‹. Doch widerstreitet nicht gerade alles am Menschen der Forderung, die Idee des Rechts im politischen Handeln zu verwirklichen und so die dreifache Voraussetzung des ewigen

Friedens zu erfüllen? Besteht zwischen der realen Politik und der Idee des Rechts, der »Moral«, im Vorhinein nicht eine tiefe Misshelligkeit? Oder lässt sich sogar ein Prinzip für die Einhelligkeit beider Momente anführen?

Mit dem Problem der Erfüllbarkeit der den ewigen Frieden rechtlich-notwendig ermöglichenden Voraussetzungen befasst sich der Anhang der Friedensschrift. In der Tat gibt Kant im Anhang II ein Prinzip an, nach welchem die Einhelligkeit zwischen »Moral« (Rechtsidee) und Politik verbürgt wird; es ist dies die »transzendentale Formel des öffentlichen Rechts«, das Publizitätskriterium (vgl. S. 64).

Woher aber die tagtäglich erfahrene »Mißhelligkeit« zwischen beiden Momenten – die eigentliche Crux politisch-gesellschaftlicher Existenz – rührt, erörtert Kant im ersten Teil des Anhangs. Dieser Anhang I, der auch als eigenständige Abhandlung über das Verhältnis von Moral (Recht) und Politik gelesen werden kann, bildet in seiner gedanklichen Schärfe und seiner stilistischen Brillanz den Höhepunkt in der an glanzvollen Passagen reichen Schrift. Angesprochen wird hier der Mensch, dem die direkte Verwirklichung der Idee des Rechts aufgetragen ist, der Politiker, der aber gewöhnlich nach Maximen handelt, die jener Verwirklichung entgegen sind und den Frieden vereiteln. Die Rede ist nun nicht bloß vom *objektiven* Verhältnis des Rechts zur geschichtlichen Realität (hiervon haben die Definitivartikel gehandelt), und auch nur am Rande ist die Rede von der Hilfe, die dem Menschen aus der Natur entgegenkommt – die Rede ist hier vom *subjektiven* Verhältnis des politisch Verantwortlichen zu dem, was die Idee des Rechts fordert: dass *sie* das politische Handeln bestimmt und dass aus *ihr* vornehmlich der Friede kommt. Wenn es zwischen »Moral« (Recht) und Politik zu Misshelligkeiten kommt, so liegt dies nicht daran, dass Recht und Politik von sich aus unvereinbar wären – ›Sollen‹ impliziert ›Können‹ –, sondern sie entspringen aus einer Verfehlung der Maximen, deren sich der Politiker bedienen müsste, um dem rechtlich notwendigen Sollen, das er objektiv erfüllen kann, zu genügen. Misshelligkeiten zwischen Recht und Politik, und in ihrer Folge: das Ausbleiben des ewigen Friedens, gründen allein im Versagen des politisch Handelnden. Je nach dem Verhältnis des subjektiven Willens zur Idee des Rechts und der objektiven Beziehung zur Politik gibt es zwei Arten von Politikern: diejenigen, die ihre politischen Maximen unter das (in Kants großen ethischen Schriften entwickelte) formale Prinzip des Handelns stellen (S. 57: »handle so, daß du wollen kannst, deine Maxime solle ein allgemeines Gesetz werden«) – die so Handelnden sind die *moralischen Politiker*; *politische Moralisten* sind dagegen diejenigen, die sich jeweils von materialen Prinzipien, d. h. von Zwecken leiten lassen und ihnen die rechtlich-politischen Grundsätze unterordnen. Die Maximen des politischen Moralisten hat Kant am Leitfaden der drei Sätze »Fac et excusa«, »Si fecisti, nega« und »Divide et impera« in ihrer hintergründigen Bosheit entlarvt. So wenig wie bei den sechs Präliminarartikeln braucht die Aktualisierbarkeit der Kantischen Analyse bewiesen zu werden – die politischen Moralisten sind sich nicht nur gleichgeblieben, sie beherrschen nach wie vor die Welt.

Für die Friedensthematik ist bei dieser Unterscheidung zweier Arten von Politikern als zweier Weisen subjektiven Verhaltens zur Idee des Rechts der Gedanke entscheidend, dass der politische Moralist, der die Rechtsidee dem Zweck unterordnet, auch dann, wenn der Frieden sein Zweck ist, den ewigen Frieden nicht erreichen kann: in den »Schlangenwendungen einer unmoralischen Klugheitslehre« (S. 56) kommt der gesetzte Zweck selber um – die in der Handlungsweise des politischen Moralisten versteckte Arglist und Bosheit, beide Ausdruck der Herrschaft der selbstsüchtigen Neigung, bringen den auf diese Weise Frieden Suchenden schnell von der Bahn ab und lassen ihn im Geflecht der egoistischen Interessen das Seine suchen; und auch der Frieden, den er findet, bleibt vom sich wandelnden, selbstsuchtabhängigen Wollen bestimmt. Einen ›ewigen‹ Frieden kann der politische Moralist nicht beibringen, sein Friede bleibt, wenn er ihn überhaupt einmal punktuell erreicht, von der Zufälligkeit gezeichnet, die allen Produkten bloß empirisch (d. i. nach Zwecken) bestimmten Handelns eigen ist.

Der moralische Politiker dagegen kann einen Frieden stiften, der ein ›ewiger‹, vom Rückfall in den offenen oder latenten Kriegszustand nicht mehr bedrohter Friede ist. Seine Handlungsmaxime verlangt, dass die Menschen, ohne Rücksicht auf die (stets partikular und empirisch-zufällig bleibenden) Glückseligkeitszwecke, ihr Handeln so bestimmen, dass die einzelnen Handlungsmaximen für jeden mit Notwendigkeit (als Gesetz) gelten können und so die Freiheit des einen mit der des anderen – der Idee des Rechts gemäß – bestehen kann. Die Befolgung des formalen Handlungsprinzips schafft die Möglichkeit der ständigen Regulierung von Konflikten, die aus der naturhaft gegebenen Selbstsucht aufkeimen. Der »Mechanismus der Natur« hilft, wie Kant auch in diesem Anhang ansetzt, die selbstsüchtigen Neigungen so zu harmonisieren, dass ihr Widerstreit das Zusammenleben der Menschen nicht nur nicht zerstört, sondern fördert. Objektive Verträglichkeit von Moral und Politik, subjektive Verwirklichung dieses objektiven Verhältnisses (durch Befolgung der formalen Handlungsmaxime) und Mechanismus der Natur – diese Momente machen, zusammengenommen, den ewigen Frieden zu einem Ideal, das die politische Wirklichkeit mehr und mehr vom Kriegszustand befreit, weil es nicht über der konkreten politischen Welt schwebt, vielmehr in seiner Realisierbarkeit das Handeln in dieser Welt leitet.

Dass in der Tat aus dem Handeln nach dem formalen Prinzip und der dazukommenden Unterstützung durch die »Natur« (d.i. durch die antagonistisch sich fruchtbar machende Selbstsucht der Menschen) der ewige Friede hervorgeht, hat Kant in einer interpretierenden Umformung von Mt 6,33 ausgedrückt:

> ›Trachtet allererst nach dem Reiche der reinen praktischen Vernunft und nach seiner *Gerechtigkeit*, so wird euch euer Zweck (die Wohltat des ewigen Friedens) von selbst zufallen.‹ Denn das hat die Moral Eigentümliches an sich und zwar in Ansehung ihrer Grundsätze des öffentlichen Rechts (mithin in Beziehung auf eine a priori erkennbare Politik), daß, je weniger sie das Verhalten von dem vorgesetzten Zweck, dem beabsichtigten, es sei physischem oder sittlichem, Vorteil, abhängig macht, desto mehr sie dennoch zu diesem im allgemeinen zusammenstimmt; welches daher kommt, weil es gerade der a priori gegebene allgemeine Wille (in einem Volk, oder im Verhältnis verschiedener Völker untereinander) ist, der allein, was unter Menschen Rechtens ist, be-

stimmt; diese Vereinigung des Willens aller aber, wenn nur in der Ausübung konsequent verfahren wird, auch nach dem Mechanism der Natur zugleich die Ursache sein kann, die abgezweckte Wirkung hervorzubringen und dem Rechtsbegriffe Effekt zu verschaffen. (S. 59.)

IV

Die Präzision der Gedankenführung, der Reichtum an Ideen, nicht zuletzt die oft schneidend scharfen Analysen des (über die Zeiten hinaus gleichgebliebenen) realen politischen Weltlaufs verhalfen Kants Schrift zu schnellem und durchschlagendem Erfolg. Der Briefwechsel vermittelt bereits einen Eindruck von dem Echo, das die Friedensschrift im In- und Ausland bei Freunden und Kritikern der Philosophie Kants fand. Kiesewetter, Ehrhard, Stäudlin, Sophie Mereau (vgl. Ak. 12,47.51.53.61 u. ö.) äußern sich anerkennend, Humboldt und Körner verhalten sich in Briefen an Schiller skeptisch zu Kants Entwurf, Schiller selbst äußert sich nicht (vgl. die bibliographischen Angaben zur Wirkungsgeschichte in den Ausgaben der Friedensschrift von Kehrbach, 1881, und Vorländer, 1914). Großes Interesse erweckte das Werk im revolutionären Frankreich. Dies schon ahnend, planten, wie bereits erwähnt, Kant und Nicolovius gleich nach Erscheinen der ersten Auflage eine Übersetzung ins Französische; sie erschien in Königsberg noch vor Publikation der zweiten Auflage; Übersetzungen in die französische Sprache kamen in Bern (1795) und Paris (1796) heraus. Ein besonderes Licht auf die Bedeutung, die im politischen Raum Frankreichs der Friedensschrift Kants zugemessen wurde, wirft die Tatsache, dass Graf Reinhard eine eigene Übersetzung für den Abbé Sieyès, dessen Interesse an Kant bereits aus dem Briefwechsel hervorgeht, anfertigte; französische Gelehrte (Ruiz, Delinière) haben die ungedruckt gebliebene Übersetzung für Sieyès wiederentdeckt und der Öffentlichkeit vorgestellt. Auch ins Englische und ins Dänische wurde die Schrift noch in den neunziger Jahren des 18. Jahrhunderts übertragen.

Von den (zumeist positiv wertenden) Rezensionen, die dem Erscheinen der Schrift folgten, ist die von Fichte verfasste am bekanntesten. Fichte verteidigt Kants Schrift gegen die Meinung, sie handle ihres Bezugs zur politischen Aktualität wegen von wenig wichtigen Dingen, sie sei ihrer Hauptidee nach doch nicht mehr als eine Träumerei: »Es sei uns erlaubt, auf die entgegengesetzte Meinung aufmerksam zu machen, dass diese Hauptidee doch wohl noch etwas mehr sein möge; dass sich vielleicht von ihr ebenso streng, als von anderen ursprünglichen Anlagen erweisen lasse, dass sie im Wesen der Vernunft liege, dass die Vernunft schlechthin ihre Realisation fordere, und dass sie sonach auch unter die zwar aufzuhaltenden, aber nicht zu vernichtenden Zwecke der Natur gehöre.« (*Sämtliche Werke*, hrsg. von I. H. Fichte, Bd. 8, Berlin 1846, S. 427 f.) Eigene Ideen zum ewigen Frieden entwickelt Friedrich Schlegel im Ausgang von einer kritischen Orientierung an Kants Schrift. Die Abhandlung des Kant-Schülers Friedrich Gentz *Über den ewigen Frieden* (1800) setzt sich zwar nicht direkt mit Kants Schrift auseinander, ist aber in genauer Kenntnis dieser Schrift und im kritischen Blick auf sie geschrieben. Direkt gegen Kant gerichtet sind die Schriften von Heynich (*Kants philosophischer Entwurf zum ewigen Frieden*, 1797) und Rühle von Lilienstern (*Apologie des Krieges besonders gegen Kant*, 1813; zit. nach Vorländers Ausgabe der Friedensschrift, 1914). Zweifel an einem Hauptpunkt der Kantischen Friedenskonzeption äußert Hegel in § 333 seiner *Grundlinien der Philosophie des Rechts* (1821): »Die *Kantische* Vorstellung eines *ewigen Friedens* durch einen Staatenbund, welcher jeden Streit schlichtete und als eine von jedem einzelnen Staate anerkannte Macht jede Misshelligkeit beilegte und damit die Entscheidung durch Krieg unmöglich machte, setzt die *Einstimmung* der Staaten voraus, welche auf moralischen, religiösen oder welchen Gründen und Rücksichten, überhaupt immer auf besonderen souveränen Willen beruhte und dadurch mit Zufälligkeit behaftet bliebe.« (*Werke*, Theorie-Werkausgabe, Bd. 7, Frankfurt a. M. 1970, S. 500.)

Wie Karl Vorländer aufgewiesen hat, haben die pazifistischen Strömungen des 19. Jahrhunderts kaum direkt auf Kant zurückgegriffen. Seit Ende des 19. Jahrhunderts gewann Kants Schrift wieder deutlich an Bedeutung für die philosophische Erörterung von Krieg und Frieden. Dieses Interesse hat nicht nur bis in unsere Zeit angehalten, es ist offenbar (unter dem Eindruck zweier Weltkriege) noch im Steigen begriffen. Denker sehr unterschiedlicher Richtungen haben sich ausdrücklich mit Kants Friedensschrift befasst: kritisch zurückweisend Max Scheler (1915), anerkennend Hans Vaihinger (1900), Franz Staudinger (1897), Paul Natorp (1924), Julius Ebbinghaus (1929), Karl Jaspers (1957), Ernst Bloch (1968) – dieses Spektrum ließe sich noch erheblich erweitern, besonders dann, wenn man auch die Interpretationen nennen würde, die von Seiten anderer Disziplinen, so vor allem der Jurisprudenz und der Staatswissenschaft, aber auch der Theologie und der Geschichtswissenschaft, vorgelegt wurden. Schlegel hat die bleibende Geltung der Kantischen Schrift richtig vorausgesehen, wenn er schreibt: »Der Geist, den die *Kantische Schrift zum ewigen Frieden* atmet, muß jedem Freunde der Gerechtigkeit wohltun, und noch die späteste Nachwelt wird auch in diesem Denkmale die erhabene Gesinnung des ehrwürdigen Weisen bewundern.« (Zit. nach: *Friedensutopien*, hrsg. von Zwi Batscha und Richard Saage, Frankfurt a. M. 1979, S. 94.)

Kant selber kam es freilich ungleich weniger auf die Bewunderung durch die Nachwelt an als darauf, dass sein Entwurf politisch-real wirksam werden würde. Zwar stellen »Völkerbund«- und UNO-Gründung Akte dar, die Kants Forderungen teilweise erfüllen, doch ist das Entscheidende geschehen: Fangen die Staatsmänner an, sich aus politischen Moralisten in moralische Politiker zu verwandeln? Wäre es, da von einer solchen Verwandlung nichts zu spüren ist, nicht erwägenswert, der Philosoph mache sich selber zum Vollstrecker der Gedanken, die Kant und die, die ihm folgten, theoretisch entworfen haben?

Schon in der Friedensschrift hat Kant den Knoten dieser Frage so durchgehauen, dass er wohl nicht mehr sinnvoll geschürzt werden kann; der Zusatz II, der sich zuerst in der Auflage von 1796 befindet, handelt hiervon. Zwar soll der Philosoph beim Politiker hinsichtlich der »allgemeine[n] Maximen der Kriegsführung und Friedensstiftung« (S. 44) Gehör finden, aber, so Kant mit untrüglichem Blick für die Realität des Politischen, es ist »nicht zu erwarten, aber auch nicht zu wünschen«, »daß Könige philosophieren oder Philosophen Könige würden« – und nun kommt die ebenso knappe wie endgültige Begründung: »weil der Besitz der Gewalt das freie Urteil der Vernunft unvermeidlich verdirbt« (S. 45).

Heißt dies aber nicht, Politik könne, insofern sie mit Macht verbunden ist, nur von jenen betrieben werden, deren Verstrickung in die durch Macht bestimmten realen gesellschaftlichen Verhältnisse ein souveränes Urteil (mit entsprechenden praktischen Konsequenzen) ausschließt? Es muss dies nicht heißen. Die These von der Unverträglichkeit des freien Urteils der Vernunft mit dem Besitz der Gewalt erklärt weder den Politiker im Vorhinein zum machtbesessenen, subjektiv-interessiert urteilenden Schurken, noch macht sie den Philosophen zum Unparteiisch-Edlen. Was Kant im Auge hat, ist auch hier eine Teilung der Aufgaben: Sie weist dem Philosophen einen Platz neben dem politisch Machthabenden an, von dem aus dieser von jenem so beeinflusst werden kann, dass sich die Maxime des Politikers dem freien Urteil der Vernunft angleicht und die politische Tat sich dem »Heiligste[n], was Gott auf Erden hat«, dem »*Recht der Menschen*« (S. 19) unterwirft – mit dem Lohn des »ewigen Friedens«.

Inhalt